LA BIBBI

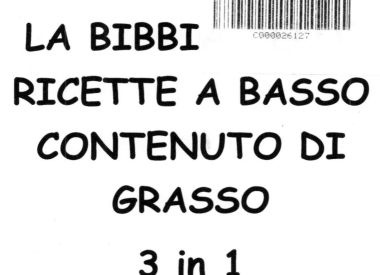

RICETTE A BASSO
CONTENUTO DI
GRASSO

3 in 1

Un ricettario a basso contenuto
di grassi con oltre 150 ricette
facili e veloci

E.Serci, J.Rossi, T.Lecca,

Tutti i diritti riservati.

Disclaimer

Sommario

Il ricettario a basso contenuto di colesterolo

+50 Ricette Facili E Deliziose

Tommaso Lecca

Tutti i diritti riservati.

Disclaimer

Le informazioni contenute in i intendono servire come una raccolta completa di strategie sulle quali l'autore di questo eBook ha svolto delle ricerche. Riassunti, strategie, suggerimenti e trucchi sono solo raccomandazioni dell'autore e la lettura di questo eBook non garantirà che i propri risultati rispecchino esattamente i risultati dell'autore. L'autore dell'eBook ha compiuto ogni ragionevole sforzo per fornire informazioni aggiornate e accurate ai lettori dell'eBook. L'autore e i suoi associati non saranno ritenuti responsabili per eventuali errori o omissioni involontarie che possono essere trovati. Il materiale nell'eBook può includere informazioni di terzi. I materiali di terze parti comprendono le opinioni espresse dai rispettivi proprietari. In quanto tale, l'autore dell'eBook non si assume alcuna responsabilità per materiale o opinioni di terzi.

INTRODUZIONE

Una dieta povera di grassi riduce la quantità di grasso che viene ingerita attraverso il cibo, a volte drasticamente. A seconda dell'estrema implementazione di questo concetto di dieta o nutrizione, possono essere consumati solo 30 grammi di grassi al giorno.

Con la nutrizione integrale convenzionale secondo l'interpretazione della German Nutrition Society, il valore raccomandato è più del doppio (circa 66 grammi o dal 30 al 35 percento dell'apporto energetico giornaliero). Riducendo notevolmente il grasso alimentare, i chili dovrebbero cadere e / o non sedersi sui fianchi.

Anche se non ci sono cibi proibiti di per sé con questa dieta: con salsiccia di fegato, panna e patatine fritte avete raggiunto il limite giornaliero di grassi più velocemente di quanto si possa dire "tutt'altro che pieno". Pertanto, per una dieta povera di grassi, dovrebbero finire nel piatto principalmente o esclusivamente cibi a basso contenuto di grassi, preferibilmente grassi "buoni" come quelli del pesce e degli oli vegetali.

QUALI SONO I BENEFICI DI UNA DIETA POCA DI GRASSI?

Il grasso fornisce acidi grassi vitali (essenziali). Il corpo ha anche bisogno di grasso per essere in grado di assorbire alcune vitamine (A, D, E, K) dal cibo. Eliminare

del tutto i grassi dalla dieta non sarebbe quindi una buona idea.

Infatti, soprattutto nei paesi ricchi di industria, ogni giorno viene consumata una quantità di grassi significativamente maggiore di quella raccomandata dagli esperti. Un problema con questo è che il grasso è particolarmente ricco di energia: un grammo di esso contiene 9,3 calorie e quindi il doppio di un grammo di carboidrati o proteine. Un maggiore apporto di grassi favorisce quindi l'obesità. Inoltre, si dice che troppi acidi grassi saturi, come quelli nel burro, nello strutto o nel cioccolato, aumentino il rischio di malattie cardiovascolari e persino di cancro. Mangiare diete a basso contenuto di grassi potrebbe prevenire entrambi questi problemi.

ALIMENTI A BASSO CONTENUTO DI GRASSI: TABELLA DELLE ALTERNATIVE MAGRE

La maggior parte delle persone dovrebbe essere consapevole che non è salutare riempirsi di grasso incontrollato. Le fonti evidenti di grasso come i bordi di grasso sulla carne e sulla salsiccia o sui laghi di burro nella padella sono facili da evitare.

Diventa più difficile con i grassi nascosti, come quelli che si trovano nei dolci o nei formaggi. Con quest'ultimo, la quantità di grasso è talvolta indicata come percentuale assoluta, a volte come "% FiTr.", Cioè il contenuto di grasso nella sostanza secca che si forma quando l'acqua viene rimossa dal cibo.

Per una dieta a basso contenuto di grassi devi guardare attentamente, perché un quark crema con l'11,4% di grassi suona meno grasso di uno con il 40% di FiTr .. Entrambi i prodotti hanno lo stesso contenuto di grassi. Gli elenchi di esperti di nutrizione (ad esempio il DGE) aiutano a integrare una dieta a basso contenuto di grassi nella vita di tutti i giorni il più facilmente possibile e ad evitare il rischio di inciampare. Ad esempio, ecco un invece di una tabella (cibi ricchi di grassi con alternative a basso contenuto di grassi):

Alimenti ricchi di grassi

Alternative a basso contenuto di grassi

Burro

Crema di formaggio, quark alle erbe, senape, panna acida, concentrato di pomodoro

Patatine fritte, patate fritte, crocchette, frittelle di patate

Patate al cartoccio, patate al forno o patate al forno

Pancetta di maiale, salsiccia, oca, anatra

Vitello, cervo, tacchino, cotoletta di maiale, -lende, pollo, petto d'anatra senza pelle

Lyoner, mortadella, salame, salsiccia di fegato, sanguinaccio, pancetta

Prosciutto cotto / affumicato senza bordo di grasso, salsicce magre come prosciutto di salmone, petto di tacchino, carne arrosto, salsiccia aspic

Alternative senza grassi alla salsiccia o al formaggio o da abbinare a loro

Pomodoro, cetriolo, fette di ravanello, lattuga sul pane o anche fette di banana / spicchi di mela sottili, fragole

Bastoncini di pesce

Pesce al vapore a basso contenuto di grassi

Tonno, Salmone, Sgombro, Aringa

Merluzzo al vapore, merluzzo carbonaro, eglefino

Latte, yogurt (3,5% di grassi)

Latte, yogurt (1,5% di grassi)

Quark crema (11,4% di grassi = 40% FiTr.)

Quark (5,1% di grassi = 20% FiTr.)

Doppia crema di formaggio (31,5% di grassi)

Formaggio a strati (2,0% di grassi = 10% FiTr.)

Formaggio grasso (> 15% di grasso = 30% FiTr.)

Formaggi magri (max.15% di grassi = max.30% FiTr.)

Creme fraiche (40% di grassi)

Panna acida (10% di grassi)

Mascarpone (47,5% di grassi)

Formaggio cremoso granuloso (2,9% di grassi)

Torta alla frutta con pasta frolla

Torta alla frutta con lievito o pastella di pan di spagna

Pan di Spagna, torta alla crema, biscotti al cioccolato, pasta frolla, cioccolato, barrette

Dolci magri come pane russo, savoiardi, frutta secca, orsetti gommosi, gomme alla frutta, mini baci al cioccolato (attenzione: zucchero!)

Crema di torrone alle noci, fette di cioccolato

Crema di formaggio granuloso con un po 'di marmellata

Cornetti

Croissant pretzel, panini integrali, pasticcini lievitati

Frutta a guscio, patatine

Bastoncini di sale o salatini

Gelato

Gelato alla frutta

Olive nere (35,8% di grassi)

olive verdi (13,3% di grassi)

DIETA A POCO GRASSO: COME RISPARMIARE I GRASSI IN FAMIGLIA

Oltre allo scambio degli ingredienti, ci sono alcuni altri trucchi che puoi usare per incorporare una dieta a basso contenuto di grassi nella tua vita quotidiana:

Cuocere a vapore, stufare e grigliare sono metodi di cottura a basso contenuto di grassi per una dieta a basso contenuto di grassi.

Cuocere nel Römertopf o con speciali pentole in acciaio inossidabile. Il cibo può anche essere preparato senza grassi in padelle rivestite o nella pellicola.

Puoi anche risparmiare grasso con uno spruzzatore a pompa: versa circa metà dell'olio e dell'acqua, agitalo e spruzzalo sulla base della pentola prima di friggere. Se non si dispone di uno spruzzatore a pompa, è possibile ungere la pentola con una spazzola: in questo modo si risparmia anche grasso.

Per una dieta a basso contenuto di grassi in salse alla panna o stufati, sostituire metà della panna con il latte.

Lascia raffreddare zuppe e salse e poi togli il grasso dalla superficie.

Preparare le salse con un filo d'olio, panna acida o latte.

Il brodo di verdure e arrosto può essere abbinato a purea di verdure o patate crude grattugiate per una dieta povera di grassi.

Metti la carta da forno o la pellicola sulla teglia, quindi non c'è bisogno di ungere.

Basta aggiungere un pezzetto di burro ed erbe fresche ai piatti di verdure e presto anche gli occhi mangeranno.

Legare i piatti di crema con la gelatina.

DIETA A POCO GRASSO: QUANTO È SALUTARE DAVVERO?

Per molto tempo, gli esperti di nutrizione sono stati convinti che una dieta a basso contenuto di grassi sia la chiave per una figura snella e salute. Burro, panna e carne rossa, invece, erano considerati un pericolo per il cuore, i valori del sanguee scale. Tuttavia, sempre più studi suggeriscono che il grasso in realtà non è così male come diventa. A differenza di un piano nutrizionale a ridotto contenuto di grassi, i soggetti del test potevano, ad esempio, attenersi a un menu mediterraneo con molto olio vegetale e pesce, essere più sani e comunque non ingrassare.

Confrontando diversi studi sui grassi, i ricercatori americani hanno scoperto che non vi era alcuna connessione tra il consumo di grassi saturi e il rischio di malattia coronarica. Non c'erano nemmeno prove scientifiche chiare che le diete a basso contenuto di grassi prolungassero la vita. Solo i cosiddetti grassi trans, che vengono prodotti, tra l'altro, durante la frittura e l'indurimento parziale dei grassi vegetali (in patatine fritte, patatine fritte, prodotti da forno pronti ecc.), Sono stati classificati come pericolosi dagli scienziati.

Coloro che mangiano solo o principalmente cibi a basso contenuto di grassi o senza grassi probabilmente mangiano in modo più consapevole in generale, ma corrono il rischio di assumere troppo poco dei "grassi buoni". C'è anche il rischio di una mancanza di vitamine liposolubili, che il nostro corpo ha bisogno di assorbire dai grassi.

Dieta a basso contenuto di grassi: la linea di fondo

Una dieta a basso contenuto di grassi richiede di occuparsi degli alimenti che si intende consumare. Di conseguenza, è probabile che si sia più consapevoli di acquistare, cucinare e mangiare.

Per la perdita di peso, tuttavia, non è principalmente da dove provengono le calorie che conta, ma che ne assumi meno al giorno rispetto a quelle che usi. Ancora di più: i grassi (essenziali) sono necessari per la salute generale, poiché senza di essi il corpo non può utilizzare determinati nutrienti e non può svolgere determinati processi metabolici.

In sintesi, questo significa: una dieta a basso contenuto di grassi può essere un mezzo efficace per il controllo del peso o per compensare l'indulgenza dei grassi. Non è consigliabile rinunciare completamente ai grassi alimentari.

SEDANO SCHNITZEL

Porzioni: 2

INGREDIENTI

- 1 pc   Bulbo di sedano
- 1 colpo Succo di limone per irrorare
- 1 premio   sale
- 1 premio   Pepe dalla smerigliatrice
- per la panatura
- 2 cucchiai   Farina
- 2 Pz   Uova, di media grandezza
- 3 cucchiai   briciole di pane

PREPARAZIONE

Pelare il sedano, tagliarlo a fette di circa 0,5-1 cm di spessore, spruzzare sopra un po 'di succo di limone e condire con sale e pepe.

Poi impanate la cotoletta di sedano - prima passate i pezzi nella farina, poi nell'uovo sbattuto e infine nel pangrattato. Premere leggermente la panatura con le dita.

Infine scaldare una padella rivestita con olio o burro chiarificato e friggere la cotoletta di sedano su entrambi i lati per circa 5 minuti.

INSALATA DI SEDANO CON

S

Porzioni: 4

INGREDIENTI

- 1 Federazione sedano
- 2 Pz   Mele
- 1 pc   cipolla
- 50 G   Noci, tritate
- per il condimento
- 4 cucchiai   olio di noci
- 4 cucchiai   Olio di colza
- 4 cucchiai   Aceto balsamico
- 1 premio   sale

- 1 premio   Pepe

PREPARAZIONE

Lavare bene il sedano e le mele e tagliarli entrambi a pezzetti, ca. 1 cm di dimensione.

Quindi sbucciare la cipolla e tagliarla a pezzetti.

Mescolare l'olio di colza, l'olio di noci e l'aceto balsamico in un condimento e quindi aggiustare di sale e pepe.

Mettere insieme le noci, le mele, il sedano, la cipolla e il condimento in una ciotola e lasciare in infusione l'insalata di sedano. Riponete in frigorifero per circa 30 minuti e poi servite.

YOGURT FATTO IN CASA

Porzioni: 4

INGREDIENTI

- 1 l   Latte intero biologico, fresco
- 150 G Yogurt biologico naturale, con colture viventi
- 4 Pz   Vite barattoli
- 1 pc   Termometro a liquido

PREPARAZIONE

Per prima cosa preriscaldare il forno a 50 ° C di calore superiore / inferiore.

Quindi mettere il latte fresco intero in una casseruola e scaldare a 90 ° C, mescolando continuamente, e tenere premuto per circa 5 minuti. Assicurati di misurare la temperatura con un termometro.

Quindi togliete il latte dal fuoco e lasciate raffreddare a 49 ° C. Misurate la temperatura esatta con un termometro.

Ora metti 4 barattoli con tappo a vite puliti in una pirofila. Mescolare lo yogurt naturale nel latte e distribuire la miscela di latte e yogurt sui barattoli con tappo a vite.

Mettete la teglia con i bicchieri nel forno preriscaldato e non spostatela se possibile. Quindi spegnere il forno e lasciare riposare i barattoli per 10 ore.

Infine chiudere bene i barattoli con un coperchio e riporre in frigorifero. Lo yogurt fatto in casa è ottimo con frutta o composta.

SPAETZLE FATTO IN CASA

Porzioni: 3

INGREDIENTI

- 375 G Farina
- 2 Pz Uova
- 1 premio   sale
- 250 ml acqua

PREPARAZIONE

Per fare questo setacciare la farina in una terrina, aggiungere le uova e un bel pizzico di sale e mescolare delicatamente con un cucchiaio di legno.

Poi mescolate energicamente con uno sbattitore a mano (gancio per impastare), aggiungendo l'acqua a sorsi fino a quando la pasta non bolle, risulta liscia e non troppo soda.

Utilizzando una pressa per spaetzle (possibilmente in porzioni), versare l'impasto in un'ampia casseruola con acqua bollente e lasciarlo in infusione (circa 4 - 6 minuti).

Non appena vengono a galla, togliete dall'acqua gli spaetzle fatti in casa con una schiumarola e versateli in un colino per scolarli.

SALE DI ERBE ARTIGIANALE

S

Porzioni: 5

INGREDIENTI

- 1 Federazione Maggiorana
- 1 kg   Sale marino (grosso)
- 1 Federazione prezzemolo
- 1 Federazione rosmarino
- 1 Federazione erba cipollina
- 1 Federazione timo
- 1 Federazione saggio

PREPARAZIONE

Mettere su una teglia il rosmarino, il timo, la salvia,
l'erba cipollina, il prezzemolo e la maggiorana e far

asciugare in forno a 35 ° C per circa 30 minuti. Giralo ogni tanto.

Quindi separare le foglie dai gambi e mescolare le foglie con il sale marino.

Ora schiaccia il sale e le erbe con un mortaio e mescola bene.

Il sale alle erbe può essere utilizzato immediatamente per condire o versato in barattoli puliti e asciutti con tappi a vite per la conservazione.

STRISCE DI MAIALE CON GLI

S

Porzioni: 4

INGREDIENTI

- 500 G Maiale magro
- 8 Pz   scalogno
- 3 cucchiai   Olio di colza
- 3 TL   Paprika in polvere, dolce nobile
- 0,5 TL Curry in polvere
- 1 premio   Cumino macinato
- 150 ml Vino bianco secco
- 400 ml Brodo vegetale
- 200 ml Pomodori, in scatola

- 1 pc   foglia d'alloro
- 1 TL   sale e pepe
- 2 cucchiai   crema

PREPARAZIONE

Per le strisce di maiale, prima lavate la carne di maiale, asciugatela e tagliatela a strisce lunghe 2-3 cm. Pelare e tritare finemente lo scalogno e la cipolla.

Quindi scaldare l'olio in una padella e soffriggere lo scalogno e le cipolle e il maiale.

Ora cospargere con paprika, curry e semi di cumino, soffriggere brevemente, quindi sfumare con il vino.

Quindi versare il brodo vegetale e la passata di pomodoro e aggiungere la foglia di alloro.

Coprite e lasciate lo spezzatino sminuzzato per circa 30-40 minuti a fuoco dolce.

Quando il tempo di cottura sarà terminato, togliete la foglia di alloro, incorporate la panna e condite con sale e pepe.

FILETTO DI MAIALE CON SALSA ALLA PAPRIKA

Porzioni: 4

INGREDIENTI

- 800 G Controfiletto, maiale
- 3 cucchiai   olio d'oliva
- 1 premio   sale
- 1 premio   Pepe dalla smerigliatrice
- 12 Schb   Bacon
- Per la salsa
- 1 pc   cipolla
- 1 pc   spicchio d'aglio
- 2 Pz   Peperoni, rossi
- 1 pc   Peperone giallo

- 120 G Pomodori, in scatola
- tra il rosmarino
- tra il timo
- 1 colpo crema

PREPARAZIONE

Per prima cosa preriscaldare il forno a 180 gradi (calore in alto e in basso).

Quindi tagliare a metà i peperoni, togliere il torsolo, lavare i peperoni a metà e tagliarli a pezzetti.

Pelare e tritare finemente la cipolla e l'aglio. Lavate il timo e il rosmarino, asciugateli e tritateli finemente.

A questo punto condire il filetto di maiale con sale e pepe, scaldare l'olio d'oliva in una teglia, rosolare la carne dappertutto e poi togliere la carne dalla teglia.

Quindi soffriggere brevemente la cipolla e l'aglio a cubetti nel residuo della frittura, quindi aggiungere il rosmarino e il timo e rosolare brevemente.

Poi aggiungete ancora un po 'di olio, unite i pezzi di pepe e lasciate cuocere a fuoco lento per circa 1 minuto mescolando.

Infine aggiungere i pomodori, avvolgere il filetto di controfiletto con le fette di pancetta, adagiare sulle verdure e cuocere coperto nel forno preriscaldato per circa 10-15 minuti.

STUFATO DI SALSIFY NERO

Porzioni: 2

INGREDIENTI

- 2 cucchiai   Aceto, per l'acqua aceto
- 1 cucchiaio   Dill, tritato
- per lo stufato
- 1 premio   sale
- 1 premio   Pepe, nero, macinato fresco
- 500 G Salsify
- 300G Patate, cerose
- 8 Pz   Carote
- 2 cucchiai   Olio vegetale
- 700 ml Brodo vegetale
- 100 GRAMMI Piselli, giovani, congelati
- 1 premio   Cumino macinato

- per il deposito
- 2 Pz   Scalogni, piccoli
- 200 G Bistecca di manzo tritata
- 0,5 TL Cumino macinato
- 1 premio   sale
- 1 premio   Pepe, nero, macinato fresco

PREPARAZIONE

Metti un po 'di aceto in una ciotola e riempila d'acqua.

Spazzolare, lavare e pelare la salsefrica sotto l'acqua fredda. Quindi tagliare a pezzi di circa 2 cm di dimensione e metterli subito nell'acqua aceto.

Quindi pelare, lavare e tagliare a cubetti le carote. Pelare e lavare le patate e tagliarle anche a cubetti.

Per la guarnizione, sbucciate gli scalogni e tagliateli a dadini. Quindi mescolare in una ciotola con la carne macinata, i semi di cumino, sale e pepe e formare piccoli gnocchi.

Ora scolate la salsefrica. Scaldare l'olio in una casseruola e aggiungere la salsefrica nera con le patate a dadini e le carote. Cuocere il tutto mescolando per circa 3-4 minuti e sfumare con il brodo.

Coprite e cuocete lo spezzatino di salsefrica nera a fuoco medio per circa 10 minuti. Quindi aggiungere i piselli e le polpette e lasciare cuocere a fuoco lento per altri 15 minuti.

Condire lo spezzatino con sale, pepe e semi di cumino e versare in ciotole preriscaldate. Cospargere l'aneto tritato e servire immediatamente.

INSALATA RAPIDA DI

S

Porzioni: 2

INGREDIENTI

- 6 Pz   Carote biologiche
- 3 Pz   Arance biologiche
- 2 cucchiai   olio
- 1 premio   Zucchero di betulla / xilitolo

PREPARAZIONE

Per prima cosa lavare le carote, tagliare il gambo e grattugiare i pezzi di carota con una grattugia.

Quindi tagliare a metà le arance e strizzarle.

Ora metti la carota grattugiata, il succo d'arancia, l'olio
e lo zucchero di betulla in una ciotola e mescola bene:
l'insalata di carote veloce è pronta.

PORRIDGE DI LATTE D'AVENA VELOCE CON POLPA DI MELE

Porzioni: 4

INGREDIENTI

- 200 ml Latte d'avena (bevanda d'avena)
- 20 G   Farina d'avena, tenera
- 2 cucchiai   Polpa di mela biologica

PREPARAZIONE

Per iniziare, prendi una piccola casseruola, aggiungi il latte d'avena, portalo a ebollizione a fuoco medio, togli dal fuoco e poi aggiungi la farina d'avena.

Quindi lasciate riposare il tutto per circa 5 minuti, incorporate la polpa di mele e poi servite il porridge di latte d'avena finito con la polpa di mela quando sarà raffreddato.

ZUPPA VELOCE DI

S

Porzioni: 2

INGREDIENTI

- 1 Federazione Zuppa di verdure
- 150 G Lenti rosse
- 1 cucchiaio   olio d'oliva
- 1 cucchiaio   Brodo vegetale istantaneo
- 2 Pz   Viennese
- 1 colpo Aceto di sidro di mele
- 1 premio   sale
- 1 premio   Pepe

PREPARAZIONE

Per prima cosa pulire le verdure della zuppa e tagliarle a cubetti.

Quindi tostare brevemente in olio d'oliva.

Quando le verdure saranno leggermente dorate, sfumare con l'acqua.

Ora aggiungi le lenticchie rosse e porta il tutto a ebollizione.

Ora aggiungi il brodo vegetale istantaneo.

Quindi lasciate cuocere a fuoco lento per circa 10 minuti.

Ora aggiungi le fette salsicce salsicce alla zuppa e lasciarle in infusione per altri 5 minuti.

Quindi aggiustate di sale e pepe e completate il gusto della zuppa con l'aceto di mele.

SALSA DI PROSCIUTTO E

S

Porzioni: 3

INGREDIENTI

- 1 tazza   fungo
- 3 Bl   prosciutto
- 200 ml crema
- 1 pc   cipolla
- 1 premio   sale
- 1 cucchiaio   Prezzemolo (tritato)
- 1 cucchiaio   olio
- 1 premio   Pepe

PREPARAZIONE

Pelare la cipolla e tagliarla a cubetti. Tritate finemente i funghi e il prosciutto a cubetti.

Friggete il tutto insieme in una padella con l'olio. Aggiungere Rama Cremefine e un goccio d'acqua.

Aggiustare di sale e pepe. Infine aggiungete il prezzemolo tritato e lasciate bollire fino a formare una salsa densa.

HADDOCK

S

Porzioni: 4

INGREDIENTI

- 600 G Filetti di eglefino
- 1 pc cipolla
- 3 Pz Spicchi d'aglio
- 125 ml vino bianco
- 250 G Funghi
- 1 FederazionePrezzemolo tritato
- 1 premio sale
- 1 premio Pepe
- 1 colpo olio

PREPARAZIONE

Per prima cosa pulire i funghi e tagliarli a fettine. Pelare e tritare finemente la cipolla e gli spicchi d'aglio.

Tagliare il pesce a pezzi più grandi, scaldare l'olio in una padella e friggere brevemente i pezzi di pesce su entrambi i lati.

Poi sfumate con il vino bianco, unite i funghi, la cipolla e l'aglio, coprite e lasciate cuocere a fuoco lento per circa 20 minuti.

Quindi condire l'eglefino con sale e pepe e lasciarlo riposare di nuovo per 5 minuti.

PATATE DEL TESORO

S

Porzioni: 4

INGREDIENTI

- 8 Pz   Patate, fantastiche
- 200 G Verza
- 200 G Carote
- 125 G Mozzarella
- 1 premio   sale
- 1 premio   Pepe Bianco
- 0,25 l Brodo vegetale
- 50 G   Burro alle erbe
- 1 Federazione Maggiorana, fresca
- 1 cucchiaio   olio d'oliva
- 100 GRAMMI Cubetti di prosciutto crudo

PREPARAZIONE

Per prima cosa pelare le patate, lavarle, portarle a bollore in acqua salata e cuocere per circa 12 minuti - le patate non devono essere ancora completamente morbide. Quindi scolate le patate e fatele raffreddare.

Eliminate ora le foglie esterne della verza, tagliate a metà la verza e tagliate il gambo. Sciacquare la verza e tagliarla a cubetti fini.

Pelare, lavare e tagliare a cubetti le carote. Tagliate anche la mozzarella a cubetti fini.

Successivamente, il cavolo cappuccio e le carote separati brevemente in acqua salata sbollentano, quindi metteteli in uno scolapasta e scolateli.

Ora svuota con cura le patate raffreddate con un tagliapalle o un cucchiaio e mettile una accanto all'altra in una grande pirofila.

Quindi tritare l'interno delle patate e mescolarle con la verza, le carote e la mozzarella, quindi aggiustare di sale e pepe e farcire le patate svuotate.

Ora versare il brodo vegetale nella teglia, spalmare il burro alle erbe a scaglie sulle patate e mettere la teglia a 180 gradi sopra / sotto al centro del forno e cuocere per 20-30 minuti.

Nel frattempo sciacquare la maggiorana, asciugarla tamponando, strappare le foglie dai gambi e tagliarle a pezzetti. Friggerle in padella con il prosciutto a dadini e l'olio e poi distribuirle sulle patate cotte.

VERDURE CALDE

S

Porzioni: 4

INGREDIENTI

- 3 Pz   Carote
- 250 G broccoli
- 1 Federazione cipolle primaverili
- 2 Pz   Spicchi d'aglio
- 30 G   Zenzero
- 1 pc   Peperoncino rosso
- 5 Schb   Ananas (lattina)
- 150 ml Succo di ananas
- 100 ml Brodo vegetale (istantaneo)
- 1 cucchiaio   Marmellata di mango
- 2 cucchiai   Aceto di riso

- 2 cucchiai   Zucchero, marrone
- 1 cucchiaio   semi di sesamo
- 1 TL   sale

PREPARAZIONE

Per prima cosa tostare i semi di sesamo in una padella antiaderente per qualche minuto, mescolando continuamente. Quindi lascia raffreddare i semi.

Tritate i broccoli a piccole cimette, lavateli accuratamente e scolateli in uno scolapasta. Quindi raschiare e pizzicare le carote.

Successivamente, lavare lo zenzero e tagliarlo a pezzetti. Ora sbucciate gli spicchi d'aglio e tritateli finemente. Mondate, lavate e tagliate a rondelle i cipollotti. Tagliate il peperoncino nel senso della lunghezza, privatelo dei semi, lavatelo e tagliatelo a cubetti.

Ora versate l'ananas fuori dallo stampo attraverso un colino, raccogliendo il succo in una ciotola o in un bicchiere capiente e tagliando la polpa a pezzetti.

Quindi scaldare l'olio in un wok e friggere i broccoli e le carote per 2 minuti.

Quindi aggiungere lo zenzero, l'aglio, il peperoncino e il cipollotto a pezzetti e rosolare per 1 minuto.

Quindi mescolare la chutney di mango con il succo di ananas e il brodo. Quindi versare il composto insieme all'aceto di riso, aggiungere lo zucchero di canna e il sale e portare a ebollizione una volta.

Infine, cospargere a piacere i semi di sesamo tostati sulle verdure calde e servire.

STUFATO DI ZUCCA

S

Porzioni: 4

INGREDIENTI

- 2 Pz   Cipolle di media grandezza
- 400 G Carote
- 500 G Patate, principalmente cerose
- 800 G zucca
- 2 Stg Porri, piccoli
- 5 cucchiai   olio
- 1 l   Brodo vegetale, istantaneo
- 40 G   Arachidi, non salate
- 0.5 Federazione   erba cipollina

- 1 pc   Peperoncino, rosso, piccolo
- 1 pc   Peperoncino, verde
- 1 premio   sale
- 1 premio   peperoncino di Cayenna
- 1 premio   zucchero
- 1 Msp Paprika in polvere, dolce nobile
- 1 cucchiaio   Pepe nero in grani

PREPARAZIONE

Per prima cosa sbucciare le cipolle e tagliarle a cubetti
fini. Quindi pelare, lavare e tagliare a cubetti le patate.
Tagliare leggermente le carote nella parte superiore
delle verdure e le radici nella parte inferiore, pelarle se
necessario, altrimenti lavarle e tagliarle a fettine
sottili.

Ora rimuovere le estremità della radice del porro e
tagliare il porro verde scuro, quindi tagliare a rondelle
sottili. Quindi sbucciare la zucca, tagliarla in quattro
per il lungo e rimuovere i semi con un cucchiaio (non è
necessario sbucciare l'Hokkaido). Quindi tagliare a
cubetti della grandezza di un boccone.

Quindi scaldare l'olio in una casseruola, soffriggere
brevemente il porro, le cipolle e le carote, aggiungere le
patate, sfumare con il brodo e coprire con un coperchio
e cuocere a fuoco moderato per circa 20 minuti.

Successivamente, arrostisci le arachidi in una padella
asciutta fino a dorarle. Lavate, asciugate e tagliate
l'erba cipollina a rotoli sottili e il peperoncino a rondelle
sottili.

Infine, condire lo spezzatino di zucca piccante con sale, pepe di Caienna, zucchero e paprika, quindi aggiungere il peperoncino. Servire cosparso di arachidi, erba cipollina e pepe nero in grani.

SCALOGNI AL VINO ROSSO E FUNGHI

Porzioni: 4

INGREDIENTI

- 20 Pz Scalogni, piccoli
- 130 G Egerlinge, piccolo
- 130 G Funghi shiitake, piccoli
- 30 G   burro
- 130 ml Zuppa di carne
- 130 ml Vino rosso, forte
- 2 in mezzo   timo
- 1 premio   sale
- 1 premio   Pepe, appena macinato

PREPARAZIONE

Per prima cosa pelare gli scalogni e lavare a secco i funghi. Taglia anche i gambi dei funghi shiitake.

Ora sciogliere il burro in una padella, soffriggere lo scalogno ei funghi per circa 5 minuti, mescolando spesso.

Quindi versare il vino rosso e il brodo di carne, lavare i rametti di timo, aggiungerli nella padella e cuocere a fuoco moderato senza coperchio per circa 20 minuti.

Infine condire lo scalogno con vino rosso e funghi con sale e pepe (a piacere).

INSALATA DI SAUERKRAUT

S

Porzioni: 4

INGREDIENTI

- 500 G crauti
- 1 pc   Carote
- 1 pc   Mela
- 1 pc   cipolla
- 3 cucchiai   olio
- 1 premio   Pepe
- 1 premio   Cumino macinato

PREPARAZIONE

Metti i crauti in una ciotola e versa del succo se
necessario.

Quindi sbucciare e grattugiare grossolanamente la carota e la mela. Pelate e tritate la cipolla.

Mescolare le verdure preparate con l'olio ai crauti. Infine condire con pepe e semi di cumino e lasciare in infusione per 15 minuti.

SALSA

S

Porzioni: 4

INGREDIENTI

- 5 Pz   pomodori
- 2 Pz   Peperoncini
- 1 pc   cipolla
- 2 cucchiai   Succo di limone
- 1 premio   sale
- 1 premio   Pepe
- 1 cucchiaio   aceto

PREPARAZIONE

Lavate i pomodori e i peperoncini e tagliateli a cubetti.
Quindi sbucciare e tritare finemente la cipolla.

Mescolare insieme tutti gli ingredienti preparati, incorporare l'aceto e il succo di limone e condire con sale e pepe.

Frullare grossolanamente con un frullatore a immersione e lasciare macerare in frigorifero per almeno 2 ore.

INSALATA DI FAGIOLI

S

Porzioni: 2

INGREDIENTI

- 2 Pz   paprica
- 2 Pz   pomodori
- 1 pc   Cipollotto
- 1 Can   Fagioli, bianchi
- 1 TL   Prezzemolo, essiccato
- 1 TL   Succo di limone
- 3 cucchiai   olio d'oliva
- 1 cucchiaio   Aceto di sidro di mele
- 0.25 TL   sale

- 0.25 TL Pepe

PREPARAZIONE

Lavate prima i pomodori, tagliateli a cubetti e metteteli in un'insalatiera e fate lo stesso con i peperoni. Quindi lavare i cipollotti, tagliarli in diagonale a rondelle strette e aggiungerli.

Ora versa i fagioli in scatola al setaccio e risciacqua con acqua sotto il rubinetto fino a quando non si forma più schiuma. Quindi aggiungere i fagioli bianchi alle verdure nella ciotola.

Infine aggiungere olio, aceto, succo di limone, prezzemolo, sale e pepe. Ora mescola bene l'insalata con i fagioli bianchi e divertiti!

MINESTRA DI RUCOLA CON LATTE DI COCCO

Porzioni: 4

INGREDIENTI

- 150 G rucola
- 2 Pz scalogno
- 2 Pz Spicchi d'aglio
- 20 G burro
- 0,5 Pz Peperoncino rosso
- 1 pc Zenzero, fresco, 3 cm
- 600 ml Brodo vegetale
- 400 ml Latte di cocco, non zuccherato, da una lattina
- 2 cucchiai Succo di lime

- 1 premio   sale
- 2 cucchiai   Foglie di coriandolo tritate

per la farcitura

- 150 G Polpa di granchio del Mare del Nord
- 1 cucchiaio   Foglie di coriandolo

PREPARAZIONE

Pelare prima lo scalogno, l'aglio e lo zenzero e tagliarli a pezzi fini.

Quindi togliete il torsolo al peperoncino, lavate il baccello e tagliatelo a cubetti fini. Mondate la rucola, lavatela e scolatela bene.

A questo punto scaldate il burro in una casseruola e fate appassire lo scalogno, l'aglio, lo zenzero e i cubetti di peperoncino per circa 3-4 minuti.

Aggiungere la rucola e mescolare. Quindi versare il brodo e il latte di cocco, aggiungere il succo di lime e cuocere il tutto a fuoco medio per circa 10 minuti.

Nel frattempo sciacquate brevemente i granchi sotto l'acqua fredda e fateli sgocciolare.

La zuppa di rucola con il latte di cocco dal tiraggio a fuoco, condire con sale e il coriandolo tritato e frullare la zuppa con un frullatore a immersione.

Quindi versare la zuppa nei piatti fondi preriscaldati, distribuire sopra i gamberi, spolverare con qualche foglia di coriandolo e servire subito

CREMA DI PEPE A PUNTA

S

Porzioni: 4

INGREDIENTI

- 3 Pz   spicchio d'aglio
- 3 Pz   Pepe appuntito, rosso
- 1 premio   sale
- 1 premio   Pepe
- 4 cucchiai   Panna acida o crème fraîche
- 200 G crema di formaggio
- 1 pc   cipolla

PREPARAZIONE

Lavate i peperoni, privateli di gambi e semi e tagliateli a dadini molto piccoli.

Quindi sbucciare la cipolla e tagliarla anche a cubetti molto piccoli.

Pelare anche gli spicchi d'aglio.

Ora mescola bene la crema di formaggio, i pezzi di cipolla, la paprika e la panna acida in una ciotola.

Infine, premere gli spicchi d'aglio nella massa con la pressa e condire il peperone rosso a punta spalmato di sale e pepe.

MINESTRA DI BARBABIETOLA

S

Porzioni: 4

INGREDIENTI

- 3 Kn   Barbabietola, piccola
- 3 tra   Dragoncello
- 2 Pz   Cipolle
- 6 Pz   Patate
- 8 Pz   Funghi
- 2 Pz   Anice stellato
- 8 Pz   bacche di ginepro
- 1 premio   sale
- 1 premio   Pepe

- 1 l   acqua
- 0.5 Federazione   Prezzemolo, per guarnire
- 4 cucchiai   Crema di yogurt

PREPARAZIONE

Pelare la barbabietola fresca (indossare i guanti), tagliarla a cubetti e portare a ebollizione in un pentolino con un po 'd'acqua.

Nel frattempo lava il dragoncello, scuotilo per asciugarlo e spennalo.

Pelare le cipolle e le patate. Tagliate le cipolle a rondelle e le patate a spicchi.

Quindi lavare accuratamente i funghi freschi e tagliarli a quarti.

Quindi mettere tutto insieme all'anice stellato e alle bacche di ginepro nella casseruola, aggiustare di sale e pepe e cuocere a fuoco lento per circa 25 minuti.

Quindi frullare finemente la zuppa con un frullatore a immersione e incorporare un po 'di crema di yogurt.

Infine condire di nuovo la zuppa con sale e pepe e versare dragoncello e prezzemolo come guarnizione sulla zuppa di barbabietole.

MINESTRA DI BARBABIETOLA

S

Porzioni: 4

INGREDIENTI

- 500 G Barbabietola
- 2 Pz   Carote
- 1,5 l   Brodo vegetale
- 2 cucchiai   aceto
- 1 Federazione prezzemolo
- 1 premio   sale
- 1 premio   zucchero
- 1 premio   Pepe nero del mulino
- 1 colpo olio d'oliva

PREPARAZIONE

Pelare e grattugiare grossolanamente le carote e le barbabietole. Poiché la barbabietola si sfrega fortemente, indossare guanti da cucina.

Quindi in una pentola portare a ebollizione il brodo vegetale e aggiungere le verdure preparate e cuocere a fuoco lento per circa 20 minuti.

Nel frattempo lavate il prezzemolo, scuotetelo per asciugarlo e tritatelo finemente.

Ora condite la zuppa con aceto, olio d'oliva, sale, pepe e zucchero e incorporate il prezzemolo.

INSALATA DI FINOCCHI

S

Porzioni: 4

INGREDIENTI

- 4 Kn   finocchio
- 1 pc   Limoni, succo

per il condimento

- 1 Bch   Yogurt
- 1 cucchiaio   olio
- 1 premio   sale
- 1 premio   zucchero

PREPARAZIONE

Pulite i finocchi, eliminate i gambi più duri, tagliateli a metà, lavateli bene e poi tagliateli a listarelle sottili.

Quindi irrorare con il succo di limone e lasciarlo in infusione un po '.

Nel frattempo mescolate un condimento con olio, yogurt, sale e zucchero e versateci sopra le strisce di finocchio.

Mescolare bene l'insalata di finocchi crudi e conservare in frigorifero fino al momento di servire.

LINGUA DI MANZO CON SALSA AL VINO ROSSO

Porzioni: 4

INGREDIENTI

- 1 pc   Lingua di manzo, stagionata
- 1 pc   cipolla
- 2 Pz   Carote
- 200 G Bulbo di sedano
- 1 Stg Porro
- 1 pc   foglia d'alloro
- 5 Pz   bacche di ginepro
- 5 Pz   Grani di pepe
- 500 ml Zuppa di carne

per la salsa al vino rosso

- 1 premio   sale
- 1 premio   Pepe
- 60 G   burro
- 2 cucchiai   Farina
- 600 ml Brodo di lingua
- 200 ml vino rosso
- 100 mg   Crème fraiche al formaggio
- 1 premio   Paprika in polvere, calda come la rosa

PREPARAZIONE

Preparazione della lingua di manzo:

Mettere prima la lingua di manzo stagionata insieme al brodo di carne, alloro, bacche di ginepro e pepe in grani in una casseruola, portare a ebollizione, quindi abbassare la fiamma e cuocere a fuoco lento per 2 ore.

Pelare e tritare grossolanamente la cipolla. Mondate le carote e tagliatele a fettine. Pelare il sedano e tagliarlo a bastoncini. Tagliare l'estremità della radice e le foglie verde scuro dal porro, tagliare il resto a fette e lavare. Dopo 2 ore di cottura unire le verdure al brodo sulla lingua e cuocere a fuoco lento per un'altra ora.

Quindi sollevare la lingua dal brodo, sciacquare con acqua fredda, staccare la pelle e avvolgerla immediatamente nella pellicola trasparente in modo che non si secchi.

Versate il brodo al setaccio e raccogliete il liquido in una casseruola. Portare a ebollizione e ridurre a circa 2/3.

Preparazione della salsa al vino rosso:

Mettere il burro in un pentolino, farlo sciogliere, quindi aggiungere la farina e mescolare con la frusta. Ora sfumare con il vino rosso e il brodo di lingua bollito, mescolando continuamente in modo che non si raggrumi.

Infine condire la salsa con paprika, sale e pepe. Incorporare la panna fresca per creare una salsa cremosa.

GAMBERETTI RE CON

S

Porzioni: 4

INGREDIENTI

- 26 Pz Gamberoni, freschi, con la testa
- 3 Pz Carote
- 1 Stg Porro
- 1 l Brodo vegetale

Per la salsa

- 150 G Mascarpone
- 2 TL Acquavite di ginepro
- 0.5 Federazione basilico

- 1 TL   sale
- 0,5 TL Pepe

PREPARAZIONE

Per i gamberoni al basilico, lavate prima i gamberi con acqua fredda, asciugateli con carta da cucina, eliminate la coda e la testa con un movimento rotatorio, premete il guscio insieme fino a quando non si rompe e togliete con cura il guscio dalla carne.

Ora taglia con cura la parte posteriore delle code di gambero con un coltello affilato finché non si vede l'intestino nero (sembra un filo). Rimuovilo con attenzione con le dita o un coltello.

Quindi lavare nuovamente le code di gambero con acqua fredda e asciugarle con carta da cucina.

Mondate le carote e tagliatele a pezzi fini. Mondate il porro, tagliatelo a rondelle e lavatelo.

Riscaldare il brodo vegetale in una casseruola e lasciare in infusione le carote e i porri per 10 minuti. Cuocere le code di gambero preparate nel brodo per 8 minuti.

Nel frattempo per la salsa, scaldare leggermente il mascarpone in una casseruola, incorporare la grappa al ginepro e far bollire un po '.

Lavare il basilico, shakerare per asciugarlo, cogliere le foglie e tagliarlo a listarelle.

Ora unire le strisce di basilico nella salsa e condire con sale e pepe.

Infine, levate i gamberi fuori dal brodo, asciugateli con carta da cucina e disponeteli sui piatti con il sugo.

GAMBERETTI RE IN UNA MARINATA DI CURRY

Porzioni: 4

INGREDIENTI

- 700 G Gamberoni, sgusciati, pronti da cuocere
- 1 pc   Succo di lime
- 1 TL   Polvere d'aglio
- 3 cucchiai   Pasta di curry, rossa
- 1 Msp Coriandolo, macinato

PREPARAZIONE

Per la marinata, spremere il succo di lime e mescolare il succo di lime, il coriandolo, l'aglio in polvere e la pasta di curry in una grande ciotola.

Lavate i gamberi, fate un taglio sul dorso con un coltello affilato per aprirli e sollevarli dal guscio.

Quindi mettere i gamberi nella marinata e lasciarli macerare in frigorifero per almeno 30 minuti. Immergi gli spiedini di legno nell'acqua.

Quindi adagiare i gamberi sugli spiedini di legno inzuppati e grigliare per 5 minuti su entrambi i lati, fino a quando i gamberoni marinati al curry non sono diventati rosa e sono cotti.

COMPOSTA DI RABARBARO

S

Porzioni: 4

INGREDIENTI

- 600 G rabarbaro
- 150 G zucchero
- 8 cm Buccia di limone, non trattata
- 1 pc Stecca di cannella (circa 5 cm)

PREPARAZIONE

Per prima cosa rimuovere accuratamente la pelle fibrosa dai gambi di rabarbaro, quindi tagliare a pezzi di 3-4 cm.

Quindi mettete i pezzi di rabarbaro in una ciotola, spolverizzate di zucchero e lasciate riposare per un massimo di 3 ore, mescolando di tanto in tanto.

Quindi mettere i pezzi di rabarbaro in una casseruola con la scorza di limone e la stecca di cannella e cuocere nel loro succo a fuoco basso. Se necessario, aggiungere 1 - 2 cucchiai d'acqua. In circa 8 minuti (a seconda dello spessore dei pezzi) il rabarbaro dovrebbe essere passato, ma non troppo morbido.

Infine, versare la composta di rabarbaro nelle ciotole e raffreddare, eliminando la buccia di limone e la stecca di cannella. Al momento di servire aggiungere un po 'di zucchero per eventuale dolcificazione.

INSALATA DI RAVANELLO

S

Porzioni: 4

INGREDIENTI

- 2 Pz   Ravanello, bianco, fresco
- 4 cucchiai   Yogurt naturale
- 3 cucchiai   Panna montata
- 1 premio   sale

PREPARAZIONE

Per prima cosa lavate bene i ravanelli bianchi, pelateli e grattugiateli o affettateli in una ciotola.

Quindi mescolare yogurt, panna e sale per il condimento e marinare con esso l'insalata di ravanelli.

RISO DALLA VAPORE

S

Porzioni: 6

INGREDIENTI

- 500 G Riso a grano lungo
- 1 TL sale
- 750 ml acqua

PREPARAZIONE

Per riso e acqua, nella pentola a vapore si assume
generalmente una proporzione da 1 a 1,5. Quindi ci sono
1 tazza e mezzo di acqua per ogni tazza di riso

Versare l'acqua nella vaporiera e versare il riso in un contenitore non forato della vaporiera e aggiungere un goccio d'acqua.

Quindi salare, mescolare bene, impostare la vaporiera a 100 gradi e cuocere il riso per circa 20-25 minuti.

Servire il riso dalla vaporiera con qualsiasi altro piatto.

Suggerimenti sulla ricetta

Ottimo con l'orata con verdure o semplicemente verdure al vapore per sfruttare al meglio la pentola a vapore e per preparare un pasto leggero e sano.

Con questa forma di preparazione, tutti gli ingredienti contenuti nel riso, comprese alcune vitamine sensibili, vengono mantenuti nella loro forma originale. Inoltre, il riso cotto nella vaporiera è molto più gustoso e non così sgocciolato come nel caso della cottura tradizionale.

Le informazioni di cui sopra si riferiscono alle varietà di riso specificate. Con il riso profumato Basmati o Thai, ci vuole un po 'più breve, 20 minuti di cottura dovrebbero essere sufficienti. Con un pizzico di aceto di riso e un po 'di zucchero, puoi anche creare il perfetto riso per sushi in 20 minuti di cottura.

RATATOUILLE DAL VAPORE

Porzioni: 2

INGREDIENTI

- 1 premio   Pepe
- 2 Pz   pomodori
- 300G   zucchine
- 1 pc   cipolla
- 1 pc   Peperone rosso
- 1 premio   sale
- 1 pc   spicchio d'aglio
- 1 Federazione origano
- 100 ml Brodo vegetale
- 2 cucchiai   Pesto Rosso
- 1 pc   melanzana

PREPARAZIONE

Per una ratatouille dalla vaporiera, lavare prima i peperoni, toglierli dal torsolo e tagliare i baccelli a pezzi di due centimetri.

Lavate le zucchine e le melanzane, dividetele in quattro per il lungo e tagliatele a pezzi di circa due centimetri di spessore.

Pelare e tritare grossolanamente la cipolla.

Pelare l'aglio e tagliarlo a listarelle fini.

Cogliere le foglie di origano dai gambi, lavarle, asciugarle shakerate e tritarle.

Mettere le verdure in una vaporiera non forata e unire l'aglio, l'origano, il sale e il pepe.

A questo punto cuocete il tutto a 100 ° C per circa 10 minuti e poi aggiustate di sale e pepe.

Nel frattempo tagliare i pomodorini a croce, metterli brevemente in acqua bollente, quindi raffreddarli sotto l'acqua fredda, pelarli, tagliarli in quarti e togliere il torsolo.

Ora mescola con cura i pezzi di pomodoro con le verdure rimanenti e continua a cuocere a vapore per altri tre o quattro minuti.

Infine portare a ebollizione il brodo vegetale, incorporare il pesto rosso e versare il brodo sulle verdure.

MINESTRA DI RAVANELLO

S

Porzioni: 4

INGREDIENTI

- 600 G Patate
- 1 premio   sale
- 1 premio   Pepe
- 400 G ravanello
- 1 Federazione Cipolle primaverili
- 1 cucchiaio   Brodo vegetale
- 25 G   Foglie di menta
- 100 GRAMMI Panna montata

PREPARAZIONE

Lavate le patate, sbucciatele, tagliatele a pezzetti e fatele cuocere insieme al brodo vegetale in 800 ml di acqua salata per circa 15 minuti.

Nel frattempo lavate i ravanelli e i cipollotti e tagliateli a fettine. Mettete da parte circa 2 ravanelli, questi serviranno poi come decorazione per la zuppa.

Ora aggiungi le fette ravanelli, i verdi di ravanello lavati, le foglie di menta lavate e le cipolline alle patate bollite. Lascia sobbollire per altri 10 minuti.

Quindi frullare l'intero contenuto della pentola con un bastoncino, incorporare la panna e condire con sale e pepe.

Ora tagliare i ravanelli rimessi a fettine e tagliare a rotoli l'erba cipollina lavata. La zuppa di ravanelli con i due ingredienti guarnisce.

PORRIDGE DI QUINOA

S

Porzioni: 4

INGREDIENTI

- 1 pc   Baccello di vaniglia
- 220 G Quinoa
- 270 ml Latte di mandorla
- 220 ml acqua
- 1 TL   Cannella in polvere
- 3 cucchiai   Zucchero, marrone
- 1 premio   sale
- 120 G Mirtilli, per guarnire
- 1 pc   Pesca, per guarnire

PREPARAZIONE

Per il porridge di quinoa, prima tagliare il baccello di vaniglia nel senso della lunghezza e raschiare la polpa di vaniglia.

Quindi mescolare la polpa insieme al baccello di vaniglia, la quinoa, il latte di mandorle, l'acqua, la cannella, lo zucchero e un po 'di sale in un pentolino, portare a ebollizione con il coperchio chiuso e cuocere a fuoco lento per circa 20 minuti. Cuocere fino a quando la quinoa non avrà assorbito tutto il liquido.

Nel frattempo lavate e smistate i mirtilli. Lavare, togliere il torsolo e affettare sottilmente la pesca.

Infine, mettere la polenta (senza il baccello di vaniglia) in piccole ciotole da dessert e guarnire con la frutta (ed eventualmente una foglia di menta).

QUINOA **STUFATO**

S

Porzioni: 4

INGREDIENTI

- 80 G   Cipolle
- 250 G Patate
- 150 G Carote
- 200 G zucchine
- 200 G pomodori
- 100 GRAMMI fagioli verdi
- 150 G Cavolo rapa
- 60 G   Sedano
- 1 cucchiaio   olio d'oliva
- 100 GRAMMI Quinoa
- 850 ml brodo vegetale

- 1 cucchiaio   basilico
- 1 TL   timo
- 1 TL   rosmarino
- 1,5 cucchiai di sale
- 1 cucchiaio   Pepe

PREPARAZIONE

Pelare le cipolle e tagliarle a cubetti fini. Pelare e lavare le patate e le carote e tagliarle a cubetti.

Eliminate le radici e il picciolo dalle zucchine, lavatele e tagliatele a pezzi.

Scottare brevemente i pomodori con acqua calda, quindi sciacquare con acqua fredda, pelare la pelle e tagliare anche i pomodori a cubetti.

Quindi tagliare le due estremità dei fagioli, staccare i fili con un coltello affilato, quindi lavare i fagioli e tagliarli a pezzi lunghi circa 3 cm. Quindi pelare il cavolo rapa, lavarlo e tagliarlo a cubetti.

Lavate il sedano, eliminate i fili con un coltello affilato e tagliate il sedano a fettine.

Quindi scaldare l'olio d'oliva in una casseruola e rosolare brevemente i cubetti di cipolla e le verdure (patate, carote, zucchine, pomodori, fagioli, cavolo rapa e sedano).

Aggiungete ora la quinoa, amalgamate il tutto, versateci il brodo vegetale, aggiustate di sale e pepe, portate a ebollizione e fate sobbollire dolcemente per 15-20 minuti a bassa temperatura.

Nel frattempo lavare il timo, il rosmarino e il basilico, shakerare e tagliare a pezzetti fini.

Infine affinare lo spezzatino di Qunoa con le erbe aromatiche, condire con sale e pepe e servire.

FORMAGGIO CURD

S

Porzioni: 4

INGREDIENTI

- 2 Pz   spicchio d'aglio
- 1 TL   semi di cumino
- 1 Msp Paprika in polvere, dolce nobile
- 1 premio   sale
- 1 premio   Pepe
- 125 G Panna acida
- 2 cucchiai   mostarda
- 250 G Quark
- 1 pc   cipolla

PREPARAZIONE

Pelare e tritare la cipolla e l'aglio.

Ora in una ciotola mescolare gli ingredienti preparati con il quark, la senape, la panna acida, i semi di cumino e la paprika in polvere fino a ottenere una massa cremosa.

Infine condite il quark con sale e pepe e lasciate riposare per 30 minuti in frigorifero.

QUARK CON SALSA AI FRUTTI DELLA PASSIONE

Porzioni: 1

INGREDIENTI

- 125 G   quark a basso contenuto di grassi
- 1 TL   Sciroppo di agave
- 1 pc   Frutto della passione
- 1 TL   amido alimentare
- 1 pc   arancia
- 1 cucchiaio   Miele, liquido
- 50 ml   Panna montata

PREPARAZIONE

Per prima cosa mescolare il quark con lo sciroppo d'agave e conservare in frigorifero per 10 minuti.

Nel frattempo tagliate a metà il frutto della passione, eliminate la polpa e mescolatelo con la maizena in una ciotola.

Ora spremi l'arancia e aggiungi il succo insieme al miele della miscela di frutto della passione.

Quindi scaldare la salsa al frutto della passione in una casseruola a fuoco basso per 5 minuti e lasciarla raffreddare.

Montare la panna montata molto ben ferma e versarla in un sacchetto da ripieno.

Infine, mettere il quark in un bicchiere da dessert, versarvi sopra la salsa al frutto della passione, condire piccoli tocchi con la panna montata e servire.

IMMERSIONE DI FORMAGGIO COTTAGE CON CRESS

Porzioni: 4

INGREDIENTI

- 1 pc   cipolla
- 1 Federazione crescione
- 200 G Quark
- 4 cucchiai   Panna montata
- 1 TL   olio
- 1 premio   zucchero
- 1 premio   Pepe Bianco

PREPARAZIONE

Per prima cosa sbucciate e tritate finemente la cipolla.

Successivamente, mescola la panna con il quark.

Ora mescola le cipolle con lo zucchero, il sale e un po 'di olio nella miscela di cagliata.

Quindi lavate il crescione, asciugatelo, tritatelo finemente e mescolatelo con il quark.

Infine condire la salsa di quark con crescione e pepe e servire.

QUARK DIP PER PATATE

S

Porzioni: 4

INGREDIENTI

- 250 G quark a basso contenuto di grassi
- 1 pc   spicchio d'aglio
- 2 cucchiai   Acqua minerale
- 4 cucchiai   Erbe, miste, tritate di fresco
- 2 TL   Succo di limone
- 1 in mezzo   prezzemolo
- 1 premio   Pepe Bianco
- 1 premio   sale

PREPARAZIONE

Per prima cosa mescola il quark con l'acqua minerale.

Pelare e tritare l'aglio, quindi aggiungere le erbe (eventualmente prezzemolo, aneto, cerfoglio) al quark.

Quindi condire la salsa di quark per patate con sale e pepe e condire accuratamente con succo di limone.

Prima di servire guarnire la salsa con foglie di prezzemolo lavate e colte.

SCHNITZEL DELLA TACCHINO CON RISO

Porzioni: 4

INGREDIENTI

- 4 Pz   Cotoletta di tacchino
- 1 premio   sale
- 1 premio   Curry in polvere
- 2 cucchiai   olio
- 1 premio   Pepe

per il riso

- 1 premio   sale
- 1 tazza   riso
- 2 tazza   acqua

PREPARAZIONE

Per la cotoletta di tacchino con riso, preparare prima il riso. Per fare questo portate a ebollizione il riso con l'acqua e un pizzico di sale in una casseruola, abbassate la fiamma e fate cuocere per circa 15-20 minuti.

Nel frattempo lavate bene la cotoletta di tacchino, asciugatela tamponando con carta da cucina e condite con sale, pepe e curry.

Quindi scaldate l'olio in una padella e fate soffriggere la cotoletta per circa 5 minuti per lato.

Servire la cotoletta di tacchino con il riso e versarvi sopra il brodo di carne, se vi piace.

ROTOLO DI TACCHINO

S

Porzioni: 6

INGREDIENTI

- 200 G Le prugne
- 1,2 kg Petto di tacchino, come un rotolo di arrosto
- 1 TL   sale
- 0,5 TL Pepe
- 2 TL   mostarda
- 3 Spr   Aceto di frutta
- 2 Pz   Cipolla tritata
- 1 pc   Spicchio d'aglio, tritato

- 1 cucchiaio   Melissa, tritata
- 5 cucchiai   briciole di pane
- 1 pc   uovo
- 4 cucchiai   olio
- 125 ml vino rosso
- 150 ml Crème fraiche al formaggio

PREPARAZIONE

Versare acqua tiepida sulle prugne e lasciare in ammollo per 4 ore. Quindi versare le prugne al setaccio, dimezzarle, snocciolarle e tagliarle a cubetti.

Ora mescola bene la melissa, la cipolla e l'aglio, il pangrattato, le prugne e l'uovo.

Quindi strofinare la carne da un lato con sale e pepe, spennellare con la senape e irrorare con un po 'di aceto.

Spalmate il ripieno di prugne sulla carne e arrotolatela avvolgendola con dello spago da cucina.

Poi lasciate che l'olio si scaldi in una padella e fate soffriggere l'arrosto dappertutto.

Quindi cuocere nel forno preriscaldato (calore superiore e inferiore a 220 °) per 30 minuti. Dopo aver arrostito per 10 minuti, quando l'arrosto avrà preso colore, versare 400 ml di acqua calda intorno alla carne. Durante la cottura, versare ripetutamente il brodo di carne sull'arrosto.

Lascia riposare l'arrosto di tacchino finito in forno per altri 10 minuti. Nel frattempo versare l'arrosto al setaccio, affinare con vino e panna fresca, sale e pepe.

ZAMPA DI TACCHINO BRASATA

S

Porzioni: 4

INGREDIENTI

- 1 pc   Coscia di tacchino (circa 1,5 kg)
- 2 Pz   Carote
- 2 Pz   Cipolle
- 1 pc   foglia d'alloro
- 5 Pz   Spicchi d'aglio
- 5 Pz   Bacche di ginepro, spremute
- 1 in mezzo   rosmarino
- 1 in mezzo   timo
- 1.5 TL Paprika in polvere, dolce nobile

- 1 tazza   sale
- 0,5 TL Pepe
- 2 cucchiai   olio
- 250 ml Brodo vegetale
- 1 premio   amido alimentare
- 2 Pz   Patate

PREPARAZIONE

Per prima cosa preriscaldare il forno a 180 gradi (calore in alto e in basso).

Lavate la coscia di tacchino, asciugatela e strofinatela bene con sale, pepe e paprika in polvere.

Quindi scaldare un filo d'olio in una padella capiente o in una teglia e friggere la coscia di tacchino. Quindi mettete la teglia nel forno preriscaldato e lasciate cuocere a fuoco lento per un'altra ora. Durante questo tempo, versare un po 'di brodo vegetale sulla coscia di tacchino.

Nel frattempo raschiare e tagliare grossolanamente la carota. Pelare, lavare e tagliare a pezzi grossi le patate. Pelare e tritare le cipolle e l'aglio.

Quindi aggiungere le verdure, l'alloro, le bacche di ginepro, il rosmarino e il timo alla coscia nella teglia e rosolare per altri 30 minuti.

La coscia di tacchino brasata dalla padella. Versare le verdure e il sugo al setaccio. Mescolare il liquido con la maizena, aggiustare di sale e pepe e aggiungere nuovamente le verdure.

Infine, servire la coscia di tacchino brasata con le verdure stufate e la salsa.

CURRY DI TACCHINO CON ANANAS

Porzioni: 4

INGREDIENTI

- 350 G carne di tacchino
- 2 Pz   Cipolla tritata
- 1 pc   Peperone dolce, verde
- 250 G Ananas, fresco
- 1 pc   Banana
- 2 cucchiai   Olio vegetale, neutro
- 200 ml Latte di cocco, non zuccherato
- 1.5 TL Curry in polvere
- 1 TL   Polvere Tandoori
- 1 premio   sale

PREPARAZIONE

Sciacquare la carne di tacchino con acqua fredda, asciugarla e tagliarla a cubetti.

Mondate i peperoni, privateli dei semi, lavateli e tagliateli a listarelle sottili.

Tagliate a pezzetti la polpa dell'ananas, tagliando il gambo a spicchio.

Pelare e affettare la banana.

Ora friggi i pezzi di cipolla e peperone in 1 cucchiaio di olio caldo nel wok per circa 1 minuto, quindi spingili fino al bordo.

Riscaldare l'olio rimanente nel wok e friggere i pezzi di tacchino per 3 minuti.

Mescolare i residui di arrosto con il latte di cocco e aggiungere i pezzi di ananas e le fette di banana.

Quindi aggiungere il curry e la polvere di tadoori e mescolare il tutto. Portare a ebollizione brevemente e aggiustare di sale.

ARROSTO DI TACCHINO

S

Porzioni: 4

INGREDIENTI

- 1 pc   Tacchino arrosto (disossato, ca.1 kg)
- 2 Pz   cipolla (media)
- 200 ml Brodo vegetale
- 1 cucchiaio   mostarda
- 1 cucchiaio   miele
- 1 cucchiaio   olio d'oliva
- 1 premio   sale
- 1 premio   Pepe (appena macinato)
- 1 TL   Maggiorana

- 1 TL timo

PREPARAZIONE

Lavare prima l'arrosto di tacchino sotto l'acqua
corrente e poi asciugarlo tamponando. Massaggiare bene
su tutti i lati con sale e pepe. Quindi mescolare l'olio
d'oliva, il miele e la senape in una pasta cremosa e
ricoprire completamente la carne.

Ora metti l'arrosto in una pirofila o in una teglia.
Adagiare sopra la pancetta e friggere l'arrosto a 180 °
(preriscaldato, ventilato) per circa 30 minuti.

Nel frattempo condite 200 ml di brodo vegetale con
pepe, timo e maggiorana e mettete in forno per
friggere. Quindi distribuire le cipolle sbucciate e
tagliate in quarti intorno all'arrosto e soffriggere per
altri 60 minuti.

Nel frattempo (ogni 10-15 minuti) versare il brodo
sull'arrosto in modo che la pancetta non si bruci. Se
diventa troppo buio, toglilo e basta.

Trascorso il tempo di cottura, spegnere il forno e
lasciare riposare l'arrosto per altri 2-3 minuti. Infine
tagliare l'arrosto a fette ancora caldo su una spianatoia
e disporlo su un piatto. Filtrare il brodo di carne al
setaccio e addensare brevemente con 1 cucchiaino di
amido di mais a fuoco medio. Versatela sulle fettine di
tacchino e servite.

TACCHINO E VEGETALE
SHASHLIK

Porzioni: 4

INGREDIENTI

- 400 G Petto di tacchino, fresco
- 2 Pz   Peperoni, gialli e rossi
- 2 Pz   scalogno
- 1 pc   zucchine
- 8 Pz   Funghi, freschi
- 1 premio   sale
- 1 premio   Pepe Bianco
- 1 TL   Paprika in polvere, dolce nobile
- 2 cucchiai   olio d'oliva

PREPARAZIONE

Per prima cosa lavare il petto di tacchino, asciugarlo e tagliarlo a pezzetti.

Lavare, mondare e togliere il torsolo dai peperoni e tagliarli a pezzetti.

Pelate e tagliate a metà lo scalogno. Mondate e lavate le zucchine e tagliatele a fette spesse 1 cm, quindi pulite e tagliate a metà i funghi.

Ora adagiate i pezzi di carne e verdura alternativamente su spiedini di legno e condite con sale, pepe e paprika.

Quindi soffriggere lo shashlik di tacchino e verdure in una padella con olio caldo e cuocere per altri 10 minuti a fuoco basso con il coperchio chiuso.

PORRIDGE CON YOGURT

S

Porzione: 2

INGREDIENTI

- 1 tazza   fiocchi d'avena
- 1.5 Cupacqua
- 1 premio   sale
- 200 mg   Yogurt, ad esempio yogurt alla fragola, yogurt naturale, ecc.
- 4 cucchiai   Frutta, in salamoia o fresca

PREPARAZIONE

Per il classico porridge, tostare brevemente i fiocchi d'avena in una padella rivestita senza olio.

Quindi mettere i fiocchi d'avena in una casseruola con l'acqua e aggiungere un po 'di sale.

Portare la pentola a ebollizione, mescolando continuamente e cuocere a fuoco lento per 3-4 minuti, fino a quando non avrà una consistenza morbida e pastosa.

Infine, disporre la polenta in ciotole e guarnire con uno yogurt (ad es. Naturale o alla fragola) e un po 'di frutta fresca.

PORRIDGE CON SEMI DI CHIA

S

Porzione: 4

INGREDIENTI

- 400 G fiocchi d'avena
- 1 cucchiaio   Papavero
- 3 cucchiai   Semi di chia
- 400 ml Latte di mandorla
- 1 premio   cannella

Per la salsa

- 200 G Lamponi, freschi o congelati
- 1 cucchiaio   miele
- 1 colpo Succo di limone
- 1 premio   cardamomo

PREPARAZIONE

Mescolare i fiocchi d'avena con i semi di papavero e la cannella il giorno prima e versare metà del latte di mandorle in una ciotola. Quindi lasciate riposare in frigorifero per una notte.

Mescolare i semi di chia con il resto del latte di mandorle in un'altra ciotola in modo che non rimangano grumi e mettere anche in frigorifero per una notte.

Il giorno successivo, mescola la farina d'avena con i semi di chia.

Quindi selezionare i lamponi e portare a ebollizione in un pentolino con limone, miele e cardamomo a fuoco medio e frullare con un frullatore a immersione.

Riempite il porridge con i semi di chia a piccoli colpi e versateci sopra la salsa di lamponi calda.

BASE POLENTA

S

Porzione: 4

INGREDIENTI

- 1 l   acqua
- 250 G polenta
- 2 cucchiai   Margarina, vegana
- 1 TL   sale
- 1 premio   Pepe
- 1 premio   Noce moscata, grattugiata
- 0,5 TL Succo di limone
- 0,5 TL Paprika in polvere, dolce nobile

PREPARAZIONE

Prima portate a bollore l'acqua in una casseruola, poi irrorate con la polenta e portate a ebollizione mescolando; poi lasciate gonfiare a fuoco basso per circa 25-30 minuti mescolando regolarmente.

Alla fine del tempo di cottura, aggiungere burro, sale, pepe, noce moscata, paprika in polvere e succo di limone e poi servire la base di polenta calda o utilizzarla per altre ricette.

RICETTA BASE DELLA PIZZA

S

Porzioni: 4

INGREDIENTI

- 200 ml Acqua, tiepida
- 20 G Lievito, fresco
- 350 G Farina, tipo 501
- 1 cucchiaio   Miele per sciogliere il lievito
- 2 cucchiai   Olio d'oliva o olio di colza
- 2 TL sale
- 1 premio   zucchero

PREPARAZIONE

Per l'impasto della pizza setacciare prima la farina in una ciotola. Il lievito viene sciolto nel miele (o in acqua) e aggiunto alla farina insieme all'acqua, al sale, all'olio d'oliva e ad un pizzico di zucchero.

Impastare con il gancio per impastare fino a formare un impasto, quindi impastare bene con le mani. Dopo che l'impasto è stato impastato in una massa uniforme, stendere alla dimensione desiderata e lasciare lievitare per 30 minuti.

La pizza può essere condita a piacere. Tuttavia, è una buona idea usare la classica salsa di pomodoro e mostrare creatività con il condimento.

Importante: non mettere troppo sulla pizza, altrimenti l'impasto non respirerà abbastanza durante la cottura. Dopo la copertura, infornate a 200 gradi (convezione) per circa 20 minuti e poi gustate!

ZUCCA PICCANTE AL BUTTERNUT DAL FORNO

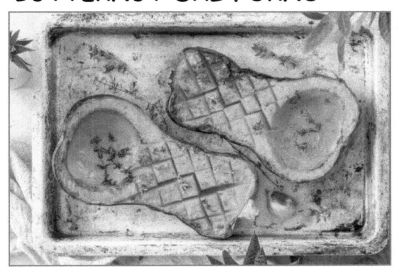

Porzioni: 4

INGREDIENTI

- 1 pc   Zucca (butternut)
- 0,5 TL Semi di finocchio
- 2 TL   Semi di coriandolo
- 1 premio   Peperoncino in polvere (se necessario)
- 1 pc   spicchio d'aglio
- 4 tra Origano, fresco
- 1 premio   sale e pepe
- 2 cucchiai   olio d'oliva

PREPARAZIONE

Per prima cosa lavate la zucca, tagliatela a metà, grattate via l'interno fibroso ei semi con un cucchiaio e toglietela.

Quindi macinare i semi di fenche, i semi di coriandolo e il peperoncino in una polvere in un mortaio e mescolare il sale e il pepe.

Ora sbucciate lo spicchio d'aglio, tritatelo, aggiungete e mescolate energicamente, quindi mettete la pasta di erbe in una ciotola, aggiungete l'olio d'oliva e mescolate bene. Lavare l'origano e asciugarlo agitando.

Quindi preriscaldare il forno a 200 gradi sopra / sotto, spennellare la zucca con la pasta di condimento, metterla in una pirofila, aggiungere i rametti di origano e infornare per circa 30 minuti fino a quando la zucca non si sarà ammorbidita.

Infine, dividere la zucca piccante dal forno in 4 porzioni, disporli sui piatti e servire.

CONCLUSIONE

Se vuoi perdere qualche chilo, la dieta a basso contenuto di carboidrati e a basso contenuto di grassi alla fine raggiungerà i tuoi limiti. Sebbene il peso possa essere ridotto con le diete, il successo di solito è solo di breve durata perché le diete sono troppo unilaterali. Quindi, se vuoi perdere peso ed evitare il classico effetto yo-yo, dovresti piuttosto controllare il tuo bilancio energetico e ricalcolare il tuo fabbisogno calorico giornaliero.

L'ideale è aderire a una variante delicata della dieta a basso contenuto di grassi con 60-80 grammi di grassi al giorno per tutta la vita. Aiuta a mantenere il peso e protegge dal diabete e dai lipidi nel sangue alti con tutti i loro rischi per la salute.

La dieta a basso contenuto di grassi è relativamente facile da implementare perché devi solo rinunciare ai cibi grassi o limitare fortemente la loro proporzione nella quantità giornaliera di cibo. Con la dieta a basso contenuto di carboidrati, invece, sono necessarie una pianificazione molto più precisa e una maggiore resistenza. Tutto ciò che ti riempie davvero è solitamente ricco di carboidrati e dovrebbe essere evitato. In determinate circostanze, questo può portare a voglie di cibo e quindi al fallimento della dieta. È essenziale che tu mangi correttamente. Molte compagnie di assicurazione sanitaria statali offrono quindi corsi di prevenzione o pagano per una consulenza

nutrizionale individuale. Questo consiglio è estremamente importante, soprattutto se decidi di seguire una dieta dimagrante in cui desideri modificare in modo permanente l'intera dieta. Se la tua assicurazione sanitaria privata paga tali misure dipende dalla tariffa che hai stipulato.

RICETTE A BASSO CONTENUTO DI GRASSO IN 30 MINUTI

Un ricettario a basso contenuto di grassi con oltre 50 ricette facili e veloci

Jennifer Rossi

INTRODUZIONE

Una dieta povera di grassi riduce la quantità di grasso che viene ingerita attraverso il cibo, a volte drasticamente. A seconda dell'estrema implementazione di questo concetto di dieta o nutrizione, possono essere consumati solo 30 grammi di grassi al giorno.

Con la nutrizione integrale convenzionale secondo l'interpretazione della German Nutrition Society, il valore raccomandato è più del doppio (circa 66 grammi o dal 30 al 35 percento dell'apporto energetico giornaliero). Riducendo notevolmente il grasso alimentare, i chili dovrebbero cadere e / o non sedersi sui fianchi.

Anche se non ci sono cibi proibiti di per sé con questa dieta: con salsiccia di fegato, panna e patatine fritte avete raggiunto il limite giornaliero di grassi più velocemente di quanto si possa dire "tutt'altro che pieno". Pertanto, per una dieta povera di grassi, dovrebbero finire nel piatto principalmente o esclusivamente alimenti a basso contenuto di grassi, preferibilmente grassi "buoni" come quelli del pesce e degli oli vegetali.

QUALI SONO I BENEFICI DI UNA DIETA POCA DI GRASSI?

Il grasso fornisce acidi grassi vitali (essenziali). Il corpo ha anche bisogno di grasso per essere in grado di assorbire alcune vitamine (A, D, E, K) dal cibo. Eliminare

del tutto i grassi dalla dieta non sarebbe quindi una buona idea.

Infatti, soprattutto nei paesi ricchi di industria, ogni giorno viene consumata una quantità di grassi significativamente maggiore di quella raccomandata dagli esperti. Un problema con questo è che il grasso è particolarmente ricco di energia: un grammo di esso contiene 9,3 calorie e quindi il doppio di un grammo di carboidrati o proteine. Un maggiore apporto di grassi favorisce quindi l'obesità. Inoltre, si dice che troppi acidi grassi saturi, come quelli nel burro, nello strutto o nel cioccolato, aumentino il rischio di malattie cardiovascolari e persino di cancro. Mangiare diete a basso contenuto di grassi potrebbe prevenire entrambi questi problemi.

ALIMENTI A BASSO CONTENUTO DI GRASSI: TABELLA DELLE ALTERNATIVE MAGRE

La maggior parte delle persone dovrebbe essere consapevole che non è salutare riempirsi di grasso incontrollato. Le fonti evidenti di grasso come i bordi di grasso sulla carne e sulla salsiccia o sui laghi di burro nella padella sono facili da evitare.

Diventa più difficile con i grassi nascosti, come quelli che si trovano nei dolci o nei formaggi. Con quest'ultimo, la quantità di grasso è talvolta indicata come percentuale assoluta, a volte come "% FiTr.", Cioè il contenuto di grasso nella sostanza secca che si forma quando l'acqua viene rimossa dal cibo.

Per una dieta a basso contenuto di grassi devi guardare attentamente, perché un quark crema con l'11,4% di grassi ha un contenuto di grassi inferiore rispetto a uno con il 40% di FiTr Entrambi i prodotti hanno lo stesso contenuto di grassi. Gli elenchi di esperti di nutrizione (ad esempio il DGE) aiutano a integrare una dieta a basso contenuto di grassi nella vita di tutti i giorni il più facilmente possibile e ad evitare il rischio di inciampare. Ad esempio, ecco un invece di una tabella (cibi ricchi di grassi con alternative a basso contenuto di grassi):

Alimenti ricchi di grassi

Alternative a basso contenuto di grassi

Burro

Crema di formaggio, quark alle erbe, senape, panna acida, concentrato di pomodoro

Patatine fritte, patate fritte, crocchette, frittelle di patate

Patate al cartoccio, patate al forno o patate al forno

Pancetta di maiale, salsiccia, oca, anatra

Vitello, cervo, tacchino, cotoletta di maiale, -lende, pollo, petto d'anatra senza pelle

Lyoner, mortadella, salame, salsiccia di fegato, sanguinaccio, pancetta

Prosciutto cotto / affumicato senza bordo di grasso, salsicce magre come prosciutto di salmone, petto di tacchino, carne arrosto, salsiccia aspic

Alternative senza grassi alla salsiccia o al formaggio o da abbinare a loro

Pomodoro, cetriolo, fette di ravanello, lattuga sul pane o anche fette di banana / spicchi di mela sottili, fragole

Bastoncini di pesce

Pesce al vapore a basso contenuto di grassi

Tonno, Salmone, Sgombro, Aringa

Merluzzo al vapore, merluzzo carbonaro, eglefino

Latte, yogurt (3,5% di grassi)

Latte, yogurt (1,5% di grassi)

Quark crema (11,4% di grassi = 40% FiTr.)

Quark (5,1% di grassi = 20% FiTr.)

Doppia crema di formaggio (31,5% di grassi)

Formaggio a strati (2,0% di grassi = 10% FiTr.)

Formaggio grasso (> 15% di grasso = 30% FiTr.)

Formaggi magri (max.15% di grassi = max.30% FiTr.)

Creme fraiche (40% di grassi)

Panna acida (10% di grassi)

Mascarpone (47,5% di grassi)

Formaggio cremoso granuloso (2,9% di grassi)

Torta alla frutta con pasta frolla

Torta alla frutta con lievito o pastella di pan di spagna

Pan di Spagna, torta alla crema, biscotti al cioccolato, pasta frolla, cioccolato, barrette

Dolci magri come pane russo, savoiardi, frutta secca, orsetti gommosi, gomme alla frutta, mini baci al cioccolato (attenzione: zucchero!)

Crema di torrone alle noci, fette di cioccolato

Crema di formaggio granuloso con un po 'di marmellata

Cornetti

Croissant pretzel, panini integrali, pasticcini lievitati

Frutta a guscio, patatine

Bastoncini di sale o salatini

Gelato

Gelato alla frutta

Olive nere (35,8% di grassi)

Olive verdi (13,3% di grassi)

DIETA A POCO GRASSO: COME RISPARMIARE I GRASSI IN FAMIGLIA

Oltre allo scambio degli ingredienti, ci sono alcuni altri trucchi che puoi usare per incorporare una dieta a basso contenuto di grassi nella tua vita quotidiana:

Cuocere a vapore, stufare e grigliare sono metodi di cottura a basso contenuto di grassi per una dieta a basso contenuto di grassi.

Cuocere nel Römertopf o con speciali pentole in acciaio inossidabile. Il cibo può anche essere preparato senza grassi in padelle rivestite o nella pellicola.

Puoi anche risparmiare grasso con uno spruzzatore a pompa: versa circa metà dell'olio e dell'acqua, agitalo e spruzzalo sulla base della pentola prima di friggere. Se non si dispone di uno spruzzatore a pompa, è possibile ungere la pentola con una spazzola: in questo modo si risparmia anche grasso.

Per una dieta a basso contenuto di grassi in salse alla panna o stufati, sostituire metà della panna con il latte.

Lascia raffreddare zuppe e salse e poi togli il grasso dalla superficie.

Preparare le salse con un filo d'olio, panna acida o latte.

Il brodo di verdure e arrosto può essere abbinato a purea di verdure o patate crude grattugiate per una dieta povera di grassi.

Metti la carta forno o la pellicola sulla teglia, quindi non c'è bisogno di ungere.

Basta aggiungere un pezzetto di burro ed erbe fresche ai piatti di verdure e presto anche gli occhi mangeranno.

Legare i piatti di crema con la gelatina.

DIETA A POCO GRASSO: QUANTO È SALUTARE DAVVERO?

Per molto tempo, gli esperti di nutrizione sono stati convinti che una dieta a basso contenuto di grassi sia la chiave per una figura snella e salute. Burro, panna e carne rossa, invece, erano considerati un pericolo per il cuore, i valori del sanguee scale. Tuttavia, sempre più studi suggeriscono che il grasso in realtà non è così male come diventa. A differenza di un piano nutrizionale a ridotto contenuto di grassi, i soggetti del test potevano, ad esempio, attenersi a un menu mediterraneo con molto olio vegetale e pesce, essere più sani e comunque non ingrassare.

Confrontando diversi studi sui grassi, i ricercatori americani hanno scoperto che non vi era alcuna connessione tra il consumo di grassi saturi e il rischio di malattia coronarica. Non c'erano nemmeno prove scientifiche chiare che le diete a basso contenuto di grassi prolungassero la vita. Solo i cosiddetti grassi trans, che vengono prodotti, tra l'altro, durante la frittura e l'indurimento parziale dei grassi vegetali (nelle patatine fritte, nelle patatine fritte, nei prodotti da forno pronti ecc.), Sono stati classificati come pericolosi dagli scienziati.

Coloro che mangiano solo o principalmente cibi a basso contenuto di grassi o senza grassi probabilmente mangiano in modo più consapevole in generale, ma corrono il rischio di assumere troppo poco dei "grassi buoni". C'è anche il rischio di una carenza di vitamine liposolubili, che il nostro corpo ha bisogno di assorbire dai grassi.

Dieta a basso contenuto di grassi: la linea di fondo

Una dieta a basso contenuto di grassi richiede di occuparsi degli alimenti che si intende consumare. Di conseguenza, è probabile che si sia più consapevoli di acquistare, cucinare e mangiare.

Per la perdita di peso, tuttavia, non è principalmente da dove provengono le calorie che conta, ma che ne assumi meno al giorno rispetto a quelle che usi. Ancora di più: i grassi (essenziali) sono necessari per la salute generale, poiché senza di essi il corpo non può utilizzare determinati nutrienti e non può svolgere determinati processi metabolici.

In sintesi, questo significa: una dieta a basso contenuto di grassi può essere un mezzo efficace per il controllo del peso o per compensare l'indulgenza dei grassi. Non è consigliabile rinunciare completamente ai grassi alimentari.

ZUPPA DI COCCO DI ZUCCA

Porzioni: 2

INGREDIENTI

- 700 G Zucca, Hokkaido
- 1 Stg Citronella
- 1 pc Zenzero
- 2 TL olio d'oliva
- 400 ml Brodo vegetale
- 400 ml Latte di cocco, non zuccherato
- 1 TL sale
- 1 TL Pepe Bianco
- 2 cucchiai Semi di zucca
- 1 cucchiaio sesamo

PREPARAZIONE

Per prima cosa tagliare la zucca a metà con un coltello affilato, ritagliare la polpa e tagliarla a pezzetti.

Quindi tagliare la citronella a rondelle molto sottili e grattugiare finemente lo zenzero.

Ora scaldate l'olio d'oliva in una casseruola e fate rosolare la zucca, lo zenzero e la citronella.

Quindi versare il brodo vegetale e il latte di cocco, portare a ebollizione brevemente e cuocere a fuoco medio per circa 30 minuti fino a quando la zucca non sarà morbida.

Nel frattempo tostare accuratamente i semi di zucca e di sesamo in una padella non unta d'olio.

Non appena la zucca sarà morbida, frullare la zuppa, condire con sale e pepe e spolverare con i semi di zucca e di sesamo

ZUPPA DI ZUCCA E ZENZERO

Porzioni: 4

INGREDIENTI

- 600 G Zucca di Hokkaido
- Brodo vegetale
- 1 Msp Peperoncino in polvere, caldo
- 1 TL curry
- 3 cm Zenzero
- 1 colpo Succo di limone

PREPARAZIONE

Pelate la zucca, privatela dei semi con un cucchiaio e tagliate la polpa a pezzetti. Pelate e tritate anche lo zenzero.

Cuocere entrambi in una casseruola con il brodo vegetale a fuoco medio per 20 minuti fino a renderli morbidi.

Quindi frullare la zuppa di zucca e zenzero con il frullatore a immersione e condire bene con succo di limone, peperoncino e curry.

ZUPPA DI CAVOLO PER LA

Porzioni: 6

INGREDIENTI

- 1 kpf   Cavolo cappuccio (ca.1 kg)
- 5 Pz   Cipolle vegetali, di media grandezza
- 2 Can Pezzi di pomodoro (850 ml ciascuno)
- 2 Pz   Peperoni gialli / verdi
- 1 kg   Carote
- 2 Stg Porro
- 200 G Bulbo di sedano
- 6 cucchiai   Prezzemolo tritato
- 2 Pz   Cubetti di zuppa

- 1 TL   Pepe
- 1 premio   Polvere di peperoncino
- 5 acqua

PREPARAZIONE

Per questa zuppa di cavolo per dieta, tagliare prima il cavolo bianco in quarti. Eliminate le macchie e il gambo sodo, lavateli e tagliateli a pezzi grossi. Pelare e tagliare a cubetti le cipolle.

Ora togliete il picciolo dai peperoni, poi tagliateli a metà, privateli dei semi, lavate le metà e tagliateli a listarelle. Sbucciare le carote, se necessario, altrimenti lavarle e tagliarle a listarelle.

Successivamente pulire il porro, tagliare le radici e le foglie lunghe, lavarlo accuratamente, tagliarlo in 2 metà nel senso della lunghezza, quindi tagliare a semianelli più larghi. Pelate, lavate e tagliate a cubetti il sedano.

Quindi portare a ebollizione il cavolo cappuccio bianco con 2 cubetti di zuppa in una pentola capiente con acqua, quindi aggiungere le verdure tritate. Dopo circa 10 minuti, versare i pomodori in scatola e cuocere per altri 15 minuti.

Infine condire la zuppa con pepe e peperoncino, quindi spolverare con il prezzemolo tritato.

KOHLRABI SPREAD

Porzioni: 2

INGREDIENTI

- 2 cucchiai   Panna acida
- 1 cucchiaio   Noci, tritate
- 0.5 Federazione   prezzemolo
- 100 GRAMMI Cavolo rapa
- 100 GRAMMI crema di formaggio
- 1 premio   sale
- 1 premio   Pepe

PREPARAZIONE

Pelare il cavolo rapa e grattugiarlo in una grattugia fine. Lavate il prezzemolo, asciugatelo e tritatelo a pezzetti fini.

Ora mescola il cavolo rapa con il prezzemolo, le noci, la crema di formaggio e la panna acida in una ciotola.

Infine condire il cavolo rapa spalmato bene con sale e pepe.

PANE CROCCANTE DELLA

Porzioni: 8

INGREDIENTI

- 300 ml Acqua, tiepida
- 4 cucchiai   olio d'oliva
- 1 TL   sale
- 500 G Farina di frumento
- 1 Pz   Lievito secco
- 1 TL   zucchero
- 8 cucchiai   Tahini, pasta di sesamo
- 2 cucchiai   Sesamo, leggero

PREPARAZIONE

Per la pasta frullare prima l'acqua tiepida con il sale e l'olio.

Mescolare la farina, lo zucchero e il lievito secco in una ciotola.

Quindi versare il liquido negli ingredienti secchi e impastare il tutto con il gancio per impastare di uno sbattitore a mano fino a formare un impasto liscio.

Coprite l'impasto con un canovaccio e lasciate lievitare in un luogo caldo per circa 1 ora.

Quindi spolverare un po 'di farina su un piano di lavoro, impastare nuovamente l'impasto dopo averlo appoggiato, dividerlo in 8 pezzi uguali e formare delle palline.

Ora scalda delicatamente la pasta di sesamo nel microonde (oa bagnomaria) e mescola in modo che l'olio non si depositi.

Stendete i pezzi di pasta in focacce sottili (delle dimensioni di una teglia) e spalmate la pasta di sesamo su entrambi i lati e cospargete di semi di sesamo.

A questo punto scaldate una teglia a temperatura media senza aggiungere alcun grasso e infornate le torte una dopo l'altra su entrambi i lati per circa 8-10 minuti.

Il Pane in teglia croccante lasciate raffreddare su una gratella e gustate il meglio fresco.

MUESLI DI YOGURT

Porzioni: 2

INGREDIENTI

- 100 GRAMMI fiocchi d'avena sostanziosi
- 50 G   Semi di girasole
- 50 G   uva passa
- 1 premio   sale
- 2 cucchiai   sciroppo d'acero
- 500 G Yogurt di soia
- 1 Pz   zucchero vanigliato
- 50 G   affettato mandorle

PREPARAZIONE

Per il croccante muesli allo yogurt, scaldare una padella senza grasso, aggiungere i fiocchi d'avena, le mandorle ei semi di girasole e arrostire fino a doratura.

Ora aggiungi l'uvetta e il sale e mescola bene. Quindi irrorare con lo sciroppo d'acero, mescolare il tutto e far caramellare a fuoco medio.

Quindi stendere il composto su una teglia preparata rivestita con carta da forno e lasciare raffreddare per 5 minuti.

Nel frattempo mettete lo yogurt di soia in una ciotola e addolcite con lo zucchero vanigliato.

Quindi riempire alternativamente lo yogurt e il muesli a strati in due bicchieri alti e gustare.

FRITTE CRUNCHY SHAKE

Porzioni: 3

INGREDIENTI

- 1 kg   Patate, biologiche
- 2 cucchiai   Olio di semi di girasole
- 2 TL   Paprika in polvere, affumicata
- 2 TL   sale

PREPARAZIONE

Per prima cosa preriscaldare il forno a 250 ° C (calore superiore e inferiore), lavare bene le patate, tagliarle a metà senza sbucciarle e tagliarle a bastoncini.

Quindi mettere i bastoncini di patate insieme all'olio di semi di girasole, sale e paprika in polvere in una ciotola leggera e agitare bene fino a quando le spezie non saranno uniformemente distribuite.

Ora foderare una teglia con carta da forno, distribuire uniformemente le patatine fritte e infornare fino a quando non diventano dorate e croccanti per circa 25 minuti.

Infine, sfornare le patatine fritte croccanti e servirle come contorno o con salse fresche (come ketchup, aioli, salsa all'aglio, ecc.).

BRODO DI POLLO CHIARO

Porzioni: 12

INGREDIENTI

- 1 pc   Zuppa di pollo
- 400 G Radici, carote, sedano, radice di prezzemolo
- 2.5 acqua
- 1 cucchiaio   sale

PREPARAZIONE

Pulisci il pollo pronto in cucina dentro e fuori con acqua fredda, così come il cuore e lo stomaco.

Quindi mettere il pollo con le interiora in una casseruola con acqua fredda salata e cuocere lentamente fino a renderlo morbido a un livello basso, schiumando più e più volte con una paletta.

Nel frattempo lavate, pelate e tagliate le radici.

Dopo un'ora di cottura, aggiungere le verdure preparate al pollo e cuocere a fuoco lento per un'altra ora.

Quando la carne è tenera, scolate il brodo di pollo chiaro attraverso un colino fine.

KIWIGELÉE

Porzioni:4

INGREDIENTI

- 4 Pz   kiwi
- 0,5 Succo d'uva
- 0.25 TL   zucchero vanigliato
- 1 TL   Agar Agar
- 1 colpo Succo di limone

PREPARAZIONE

Sbucciate prima i kiwi, tagliateli a pezzetti e poi
frullateli con un goccio di succo di limone.

Quindi mettere il succo d'uva con lo zucchero vanigliato e il composto di kiwi in un pentolino, mescolare e scaldare con cura.

Quindi mescolare l'agar agar con 2 cucchiai di succo d'uva fino a che liscio e mescolare nella miscela di kiwi. Mescolare a fuoco medio per circa 2 minuti senza che il liquido inizi a bollire.

Infine, versare la gelatina di kiwi dalla pentola nelle ciotole e lasciare raffreddare.

KISIR

Porzioni: 4

INGREDIENTI

- 200 G Bulgur, bene, Köftelik
- 150 ml Acqua, bollente
- 1 pc   Cipolla media
- 1 colpo Olio vegetale, per la padella
- 1 cucchiaio   Pasta di pomodoro
- 1 cucchiaio   Polpa di paprika, Acı Biber Salcası
- 1 Msp Cumino in polvere
- 1 cucchiaio   Fiocchi di peperoncino, aci pul beaver
- 1 colpo Sciroppo di melograno, Nar Eksisi
- 0.5 Federazione   menta

- 0.5 Federazione   Prezzemolo liscio
- 1 pc   Cipollotto
- 1 colpo olio d'oliva
- 1 premio   sale
- 1 premio   Pepe dalla smerigliatrice
- 1 colpo Succo di limone

PREPARAZIONE

Mettete il bulgur in una ciotola, versateci sopra l'acqua bollente, mescolate brevemente e lasciate in ammollo per circa 15 minuti.

Nel frattempo sbucciate la cipolla e fatela soffriggere in padella con l'olio.

Quindi aggiungere la polpa di paprika, il concentrato di pomodoro, il cumino macinato, i fiocchi di peperoncino (= Aci Pul Biber) e lo sciroppo di melograno (= Nar Eksisi) nella padella con le cipolle e mescolare bene. Quindi rimuovere la padella dalla piastra e lasciarla raffreddare.

Lavate la menta e il prezzemolo, asciugateli e tritateli finemente. Tagliare a metà i cipollotti nel senso della lunghezza e tagliarli ad anelli sottili.

Quindi mescolare il bulgur con il composto di cipolle e incorporare le erbe e i cipollotti tritati finemente.

Infine incorporare l'olio d'oliva nel kisir e condire l'insalata di bulgur con sale, pepe e succo di limone.

FAGIOLI RENI CON AVOCADO

Porzioni: 4

INGREDIENTI

- 2 Pz   Cipolle, fantastiche
- 2 Can   Fagioli rossi (circa 250g)
- 2 Pz   Avocado, maturi (circa 180 g)
- 1 pc   Limone
- 2 cucchiai   Olio di colza
- 100 ml Brodo vegetale, istantaneo
- 2 premio   sale
- 2 premio   Pepe
- 2 TL   Rafano grattugiato (vetro)
- 1 cartone   crescione

PREPARAZIONE

Per prima cosa sbucciare le cipolle e tagliarle a cubetti fini.

Versare i fagioli in un colino da cucina, sciacquare con acqua fredda e scolare bene.

Tagliare a metà gli avocado nel senso della lunghezza, eliminare il torsolo, sbucciare le metà e poi tagliare a cubetti. Quindi spremere il limone e condirlo con i cubetti.

A questo punto scaldate l'olio in una padella antiaderente con un bordo alto e fate rosolare i cubetti di cipolla fino a doratura. Sfumare con il brodo vegetale e aggiungere i fagioli e gli avocado. Lasciate cuocere tutto a fuoco lento per circa 4 minuti, mescolando continuamente.

Infine condire le verdure di fagioli borlotti con avocado con sale, pepe e rafano, spolverare con il crescione e servire.

INSALATA DI CECI

Porzioni: 4

- **INGREDIENTI**
- 250 G Ceci essiccati
- 3 Pz   spicchio d'aglio
- 1 pc   cipolla
- 1 premio   Pepe, appena macinato

per il condimento

- 50 ml aceto
- 80 ml olio d'oliva
- 0,5 TL sale

PREPARAZIONE

Mettere a bagno i ceci per una notte (almeno 12 ore) con una quantità di acqua tripla.

Quindi filtrare i ceci, versarvi sopra acqua fresca salata e cuocere per ca. 90 minuti finché non sono morbidi. Quindi scolatele bene in un colino.

Nel frattempo sbucciate e tritate finemente la cipolla e l'aglio e mescolateli con i ceci in una ciotola.

Mescolare un condimento di aceto, olio, sale e pepe e marinare con esso l'insalata di ceci.

SUGO DI CECI

Porzioni: 4

INGREDIENTI

- 1 pc   Cipolla, ottimo
- 2 Pz   spicchio d'aglio
- 4 cucchiai   olio d'oliva
- 100 GRAMMI Pasta di pomodoro
- 100 ml vino rosso
- 250 G Ceci, cotti
- 750 ml setacciata pomodori
- 1 TL   sale
- 1 premio   Pepe
- 1 premio   Paprika in polvere, dolce nobile
- 1 TL   Origano, grattugiato

- 1 TL   Timo, grattugiato

PREPARAZIONE

Per prima cosa mettere l'olio d'oliva in una casseruola, scaldarlo, sbucciare la cipolla, tagliarla a metà e tagliarla a fettine sottili, quindi aggiungere, oltre a sbucciare l'aglio, premere nella casseruola con uno spremiaglio, far rosolare per circa 10 minuti a fuoco medio calore.

Quindi sfumare con il vino rosso e il concentrato di pomodoro, aggiungere i ceci e la salsa di pomodoro; Condire con pepe, sale, noce moscata e paprika in polvere.

Infine, lasciate cuocere a fuoco lento la salsa di ceci per altri 45 minuti, poi spolverizzate con origano e timo verso la fine.

INSALATA DI CECI E AVOCADO CON QUINOA

Porzioni: 2

INGREDIENTI

- 200 G Quinoa
- 200 G Ceci (in barattolo o lattina)
- 1 pc   cipolla
- 4 Pz   pomodori
- 200 G Formaggio di pecora
- 1 pc   Avocado (il più maturo possibile)
- 100 GRAMMI Lattuga

per la vinaigrette

- 1 cucchiaio   aceto
- 1 TL   mostarda
- 1 TL   miele
- 1 premio   sale
- 1 premio   Pepe (appena macinato)
- 3 cucchiai   olio d'oliva

PREPARAZIONE

Sciacquate prima la quinoa con acqua calda e poi mettetela in una casseruola con abbondante acqua bollente. Lasciate cuocere la quinoa per 20 minuti e lasciate gonfiare per altri 5 minuti dopo il tempo di cottura.

Quindi mescolare la quinoa con i ceci cotti o arrostiti.

Ora sbucciate, lavate e tagliate la cipolla a listarelle. Quindi lavare e tagliare in quattro i pomodori. Taglia il formaggio di pecora a cubetti.

Pelate e tagliate a metà l'avocado, eliminate il torsolo e poi tagliatelo a spicchi. Lavate la lattuga e tagliatela a pezzetti. Infine mescolate tutti gli ingredienti con la quinoa e i ceci.

Ora mescolare una vinaigrette a base di olio d'oliva, aceto, senape, miele, sale e pepe macinato fresco e distribuire uniformemente sull'insalata.

MINESTRA DI PATATE CON I PISELLI ED I DENTI DI

Porzioni: 4

INGREDIENTI

- 700 G Patate, principalmente cerose
- 1 Stg   Porro
- 2 cucchiai   Olio d'oliva, per la pentola
- 200 G Piselli surgelati
- 800 ml acqua
- 2 TL   Brodo vegetale, polvere

- 1 Federazione Foglie di tarassaco, una buona manciata
- 0,5 Pz Limone biologico
- 100 ml Crema d'avena
- 1 premio   sale
- 1 premio   Fiocchi di peperoncino

PREPARAZIONE

Per prima cosa lavare, pelare e tagliare a dadini le patate. Quindi pulire il porro, tagliarlo nel senso della lunghezza, lavarlo accuratamente e poi tagliarlo trasversalmente a listarelle sottili.

Quindi scaldare l'olio in una pentola capiente. Soffriggere le patate e il porro mescolando. Aggiungere i piselli e rosolare brevemente.

Ora aggiungi acqua calda e brodo vegetale e porta il tutto a ebollizione. Coprite e lasciate cuocere la zuppa a fuoco basso per circa 10 minuti, finché le patate non saranno tenere.

Nel frattempo sciacquare le foglie di tarassaco, asciugarle e tritarle molto finemente. Quindi strofinare la buccia di mezzo limone.

Mescolare la crema d'avena con il dente di leone nella zuppa e condire con sale, peperoncino a scaglie e la scorza di limone grattugiata.

ZUPPA DI PATATE CON

Porzioni: 4

INGREDIENTI

- 1 kg   Patate, cottura farinosa
- 500 G broccoli
- 1 pc   cipolla
- acqua
- 2.5 TL Brodo vegetale, polvere
- 1 colpo olio

PREPARAZIONE

Per prima cosa lavare, pelare e tagliare a dadini le patate. Quindi lavare anche i broccoli e tagliarli a cimette con le mani e un coltello. Pelare il gambo dei broccoli e tagliarlo a cubetti. Quindi sbucciare e tritare finemente la cipolla.

Quindi mettere le patate, i broccoli e la cipolla in una casseruola e far rosolare in un filo d'olio a fuoco medio. Sfumare con acqua, aggiungere brodo vegetale e cuocere a fuoco lento per circa 20 minuti.

Quindi frullare finemente la zuppa e servire. La zuppa di patate con i broccoli è pronta.

PATATE DOLCI E ACIDE

Porzioni: 4

INGREDIENTI

- 500 G Patate, cerose
- 1 TL sale
- 250 G zucchine
- 1 pc cipolla
- 2 Pz Spicchi d'aglio
- 150 G Foglie di spinaci
- 200 G Pezzi di ananas (lattina)
- 200 ml Succo di ananas
- 1 cucchiaio Olio, neutro
- 50 ml Brodo vegetale
- 2 cucchiai Salsa di soia, leggera

- 2 cucchiai   Aceto di sidro di mele
- 1 cucchiaio   miele

PREPARAZIONE

Lavate prima le patate, mettetele in una casseruola con acqua salata, portate a ebollizione e cuocete per circa 25 minuti fino a quando non saranno cotte. Quindi filtrare le patate, sbucciarle e tagliarle a ca. Cubetti da 2 cm.

Lavate le zucchine, tagliate entrambe le estremità e tagliate anche le zucchine a cubetti.

Mettere in ordine, lavare e scolare gli spinaci. Scolare i pezzi di ananas in uno scolapasta raccogliendo il succo.

Pelare e tritare finemente la cipolla e l'aglio.

Scaldare l'olio nel wok, soffriggere la cipolla e l'aglio in pezzi fino a renderli traslucidi, quindi aggiungere le patate, le zucchine e gli spinaci e friggere per 2 minuti. Sfumare ora il tutto con il succo d'ananas, aggiungere i pezzi di ananas e il brodo vegetale.

Infine affinare le verdure con salsa di soia, aceto di mele e miele, aggiustare di sale e riportare a ebollizione.

GOCCIOLINE DI PATATE CON SPINACI

Porzioni: 4

INGREDIENTI

- 500 G Patate, cottura farinosa
- 200 G Foglie di spinaci
- 4 cucchiai   fecola di patate
- 1 TL   Sale, per cucinare
- 1 premio   Noce moscata, grattugiata fresca
- 1 Msp Pepe
- 1 premio   sale
- 2 Pz   proteina
- 3 cucchiai   Acqua per mescolare

PREPARAZIONE

Per gli gnocchi di patate agli spinaci, spennellate bene le patate, poi con la pelle in una casseruola, appena ricoperta di acqua salata e fate cuocere per 30 minuti - finché non saranno morbide.

Scolare le patate, sbucciarle e passarle allo schiacciapatate mentre sono ancora calde. Quindi mescolare le patate con sale, pepe e noce moscata.

Ora mondate gli spinaci, mettete le verdure in una ciotola con acqua, staccate le foglie dai gambi, quindi sciacquate le foglie 2-3 volte. Quindi sbollentare brevemente gli spinaci in acqua bollente, strizzarli e tagliarli molto finemente.

Ora mescola gli spinaci con 3 cucchiai di farina di patate e l'albume nel composto di patate.

Quindi modellare la pasta di patate in gnocchi e lasciar riposare per circa 10 minuti.

Quindi, mettere su una casseruola con 1 litro di acqua salata. Mescolare i 2 cucchiai rimanenti di farina di patate con un po 'd'acqua, versare nella casseruola e portare a ebollizione.

Ora mettete gli gnocchi nell'acqua non più bollente e lasciate cuocere a fuoco moderato per circa 15 minuti.

GOULASH DI PATATE

Porzioni: 4

INGREDIENTI

- 150 G Bulbo di sedano
- 800 G Patate, principalmente cerose
- 2 Pz   Carote
- 2 TL   Paprika in polvere, dolce nobile
- 500 ml Brodo vegetale, caldo
- 4 cucchiai   Pasta di pomodoro
- 1 premio   sale
- 1 cucchiaio   Crème fraîche o panna acida
- 3 Pz   Cipolle, tritate finemente
- 1 TL   Burro chiarificato
- 1 premio   Pepe dalla smerigliatrice

- 1 premio   zucchero

PREPARAZIONE

Per questo gulasch di patate vegetariano, prima sbucciare le patate, lavarle e tagliarle a ca. Cubetti da 1 cm. Pelare e tagliare a cubetti le carote nello stesso modo, ma un po 'più piccole. Mondate, pelate e tagliate il sedano a bastoncini.

In una casseruola soffriggere le cipolle nel burro chiarificato, quindi aggiungere le patate e le carote tagliate a cubetti, il sedano e soffriggere brevemente.

Versare sopra il brodo vegetale, cospargere di paprika in polvere e incorporare il concentrato di pomodoro. Mettere il coperchio e cuocere coperto per circa 10 minuti fino a quando non si ammorbidisce.

Infine condire il gulasch di patate con sale, pepe, zucchero e panna fresca e servire.

SPICCHI DI PATATE NEL

Porzioni: 4

INGREDIENTI

- 850 G Patate, cerose
- 4 cucchiai   olio d'oliva
- 2 TL   Paprika in polvere, dolce
- 1 TL   sale

PREPARAZIONE

Per prima cosa preriscaldare il forno a 200 ° C
(convezione) o 220 ° C (calore superiore e inferiore) e
coprire una teglia con carta da forno.

Pelare e lavare le patate, tagliarle in quarti e poi metterle in una ciotola.

Distribuire ora l'olio d'oliva, il sale e la paprika in polvere sul percorso delle patate e mescolare accuratamente con le mani.

Disporre le patate sulla teglia preparata, assicurandosi che siano una accanto all'altra.

Far scorrere la teglia sulla guida centrale e cuocere le fette di patate in forno per circa 30 minuti fino a doratura. Fai attenzione a non diventare troppo scuro. Una volta fatto, trasferite in una ciotola e servite.

SPETTONI DI PATATE A FARSI DI PATATE DOLCI

Porzioni: 2

INGREDIENTI

- 3 Pz   Patate dolci, fantastiche
- 3 cucchiai   olio d'oliva
- 1 TL   Paprika in polvere, dolce
- 1 TL   Cumino in polvere
- 1 TL   Rosmarino, tritato finemente
- 1 premio   sale

PREPARAZIONE

Preriscaldare prima il forno a 220 ° C (forno ventilato 200 ° C).

Nel frattempo sbucciate e lavate le patate dolci. Quindi tagliarli negli angoli o nelle fessure e disporli in una pirofila.

Quindi, condisci l'olio d'oliva sulle patate dolci. Cospargere la paprika in polvere, il cumino, il rosmarino e il sale e mescolare bene le patate con entrambe le mani.

Posizionare la pirofila sulla griglia centrale nel forno preriscaldato e cuocere gli spicchi di patate dolci per circa 30 minuti finché non saranno morbidi all'interno e croccanti all'esterno.

CUNE DI PATATE DALLA FRIGGITRICE AD ARIA

Porzioni: 2

INGREDIENTI

- 600 G Patate, cerose
- 2 TL olio d'oliva
- 1 premio sale marino
- 1 premio Pepe, nero, macinato fresco
- 0,5 TL Rosmarino, tritato finemente
- 0,5 TL Timo, essiccato

Per il tuffo

- 1 pc Avocado, maturo

- 2 cucchiai   Yogurt naturale
- 1 TL   Condimento per guacamole
- 1 TL   Succo di limone

PREPARAZIONE

Per prima cosa lavare accuratamente le patate e spazzolarle via. Quindi, a seconda delle dimensioni, un quarto o un ottavo.

Quindi mettete in una ciotola, irrorate con l'olio e condite con sale, pepe, rosmarino e timo. Mescolare bene le patate con questi ingredienti.

Ora imposta la friggitrice ad aria a 180 ° C e un tempo di cottura di 20 minuti.

Aggiungere le patate, dopo 10 minuti aprire la friggitrice, mescolare le patate per un risultato uniformemente dorato e poi terminare la cottura.

Durante il tempo di cottura, tagliare l'avocado, rimuovere il nocciolo e raccogliere la polpa. Mettere in una ciotola, schiacciare con una forchetta e mescolare con il succo di limone, lo yogurt e il condimento del guacamole.

Prendi gli spicchi di patate finiti dalla friggitrice e servi con la salsa di avocado.

PASSATA DI PATATE SENZA BURRO

Porzioni: 4

INGREDIENTI

- 1 kg   Patate, cottura farinosa
- 1 TL   Sale, per l'acqua di cottura
- 150 ml Latte (contenuto di grassi 1,5%)
- 2 cucchiai   Panna acida (10% di grassi)
- 1 premio   sale
- 1 premio   Pepe, bianco, macinato fresco
- 1 premio   Noce moscata, grattugiata fresca

PREPARAZIONE

Pelare, lavare e tagliare le patate a cubetti grandi. Quindi mettere in una casseruola, coprire con acqua salata e cuocere a fuoco medio per circa 20-25 minuti.

Scolate le patate cotte in uno scolapasta e raccogliete l'acqua di cottura in una ciotola.

Successivamente, scalda il latte in una piccola casseruola per circa 3 minuti. Spremere le patate con uno schiacciapatate e sbattere il latte caldo con una frusta. Quindi incorporare la panna acida.

Se la consistenza è troppo soda, incorporare un po 'dell'acqua di cottura delle patate raccolta.

Infine condire il purè di patate senza burro con sale, noce moscata e pepe e servire subito.

PATATE FRITTE

S

Porzioni: 4

INGREDIENTI

- 30 G   Cotoletta di tacchino, sottile
- 3 cucchiai   olio d'oliva
- 1 premio   sale
- 1 premio   Pepe Bianco
- 400 G Patate, cerose
- 200 G Funghi, piccoli
- 250 G zucchine
- 1 Federazione Cipolle primaverili
- 250 G broccoli
- 75 G   Pomodori essiccati
- 0.5 Federazione   Prezzemolo (fresco

- 0.5 Federazione   Origano, fresco
- 200 G Panna acida

PREPARAZIONE

Lavate prima la scaloppina di tacchino, asciugatela con carta assorbente e tagliatela a listarelle.

Quindi scaldare un cucchiaio di olio d'oliva in una padella e soffriggere le strisce di tacchino dorate su tutti i lati. Quindi conditele con sale e pepe, toglietele dalla padella e tenetele al caldo.

Ora pelate, lavate e affettate le patate. Riscaldare il resto dell'olio d'oliva nella teglia e coprire le patate per circa 20 minuti a fuoco medio fino a quando non sono cotte, mescolando di tanto in tanto.

Nel frattempo pulire i funghi e tagliarli a metà. Lavate le zucchine e tagliatele a fettine. Mondate e lavate i cipollotti e tagliateli a rondelle.

Aggiungere le verdure alle patate dopo 10 minuti e cuocere contemporaneamente - condire con sale e pepe.

Mondate, lavate e tagliate i broccoli a cimette. Portare a ebollizione l'acqua salata in una casseruola, cuocere le cimette di broccoli per 8 minuti, quindi scolare e scolare.

Tagliate a pezzetti i pomodori secchi. Quindi unire la carne, i broccoli e il pomodoro a pezzi nelle patate, condire di nuovo con sale e pepe e riscaldare.

Infine, staccate il prezzemolo e l'origano dai gambi, lavateli, shakerateli e tritateli finemente. Mescolare le erbe con la panna acida e servire nella padella di patate e verdure.

PADELLA DI PATATE E
~~VERDURE CON L'UOVO~~

Porzioni: 2

INGREDIENTI

- 800 G Patate, cerose
- 200 G Mais (lattina)
- 6 Pz   Uova
- 80 G   Prezzemolo tritato finemente
- 2 cucchiai   Olio di colza
- 20 Pz Pomodori, piccoli
- 1 premio   sale
- 1 premio   Pepe

PREPARAZIONE

Per la padella di patate e verdure con l'uovo, sbucciare prima con cura le patate cerose con un pelapatate o un coltello, lavarle e portarle a ebollizione in una grande casseruola con acqua leggermente salata. Ora lessate le patate per 10 minuti, quindi scolatele accuratamente e tagliatele a fettine.

Allo stesso tempo, scaldate l'olio di colza in una padella bassa e fateci soffriggere le patate per qualche minuto.

Lavate i pomodori, tamponateli con un canovaccio e poi tagliateli a quarti. Mettere il mais dolce in scatola in un colino, sciacquare bene e lasciare sgocciolare. Quindi aggiungere i pomodori tagliati in quattro e il mais alle patate e incorporare con cura.

Quindi mescolate le uova e un pizzico di sale e pepe in una ciotola con una frusta e unite agli altri ingredienti nella padella. Amalgamate bene il tutto e lasciate riposare per 5 minuti. Mescola attentamente ogni tanto per evitare di bruciare qualcosa.

PUREA DI PATATE E PISELLI

Porzioni: 4

INGREDIENTI

- 1 kg   Patate, cottura farinosa
- 200 G Piselli, giovani, congelati
- 2 cucchiai   burro
- 1 premio   sale
- 1 premio   Pepe, nero, macinato fresco
- 1 Msp Noce moscata, grattugiata fresca
- 250 ml latte

PREPARAZIONE

Per prima cosa pelare le patate, lavarle e tagliarle a pezzi grossi. Quindi mettere in una casseruola, coprire con acqua e cuocere per circa 20 minuti.

Negli ultimi 3 minuti di cottura unire alle patate i piselli surgelati e cuocere contemporaneamente. Quindi versare in un colino e scolare bene, quindi trasferire in una casseruola.

Riscaldare il latte in un pentolino per circa 3 minuti. Schiacciare grossolanamente il composto di patate e piselli con uno schiacciapatate e versare il latte fino a quando la purea non avrà una consistenza cremosa.

Ora incorporare il burro nel purè di patate e piselli, condire con sale, pepe e noce moscata grattugiata. Tenere la purea calda fino al momento di servire

FINOCCHIO CARAMELLATO

Porzioni: 4

INGREDIENTI

- 750 G Bulbo di finocchio
- 5 Pz   scalogno
- 1 colpo Olio d'oliva per la padella
- 4 cucchiai   miele
- 120 ml Vino bianco secco
- 1 cucchiaio   Scorza di limone grattugiata (biologica)
- 1 premio   sale e pepe

PREPARAZIONE

Mondare e lavare i finocchi, tagliarli al centro e tagliare il picciolo duro, quindi affettarli a listarelle sottili.

Quindi rimuovere la pelle dagli scalogni e tritarli finemente.

Ora scaldate l'olio in una padella e fate soffriggere o stufare finocchi e scalogni.

Cospargere con il miele e lasciare caramellare brevemente il tutto. Versare il vino bianco, aggiungere la scorza di limone e mescolare.

Cuocere le verdure per circa 10 minuti e poi condire con sale e pepe.

STOCK DI VITELLO O BRODO

Porzioni: 10

INGREDIENTI

- 2 kg   Ossa di vitello
- 4 Pz   Carote, fantastiche
- 2 Pz   Cipolle
- 1 kpf   Sedano rapa, piccolo
- 3 Pz   Radici di prezzemolo
- 2 cucchiai   Olio vegetale, per le verdure
- 3 Acqua, fredda
- 3 gl   Acqua, per le verdure

PREPARAZIONE

Per prima cosa preriscaldare il forno a 180 ° C di calore superiore / inferiore.

Nel frattempo sciacquare le ossa di vitello con acqua fredda e metterle in una pentola larga o in una teglia da forno in modo che tutte le ossa tocchino il fondo della pentola. Quindi posizionare la pentola sulla guida più bassa nel forno preriscaldato e rosolare le ossa per circa 1 ora, senza aggiungere alcun grasso.

Nel frattempo, lavare le carote, il sedano e le radici di prezzemolo e tagliarle a pezzi grossi. Pelare anche le cipolle e tritarle grossolanamente. Scaldare un filo di olio vegetale in una padella, soffriggere le verdure a dadini e farle assumere un colore forte in circa 10 minuti.

Quindi sfumare l'arrosto con 1 bicchiere d'acqua, far bollire completamente per circa 5 minuti e ripetere l'operazione altre 2 volte.

Ora togli la pentola dal forno, aggiungi le verdure arrostite e versa l'acqua. Le ossa e le verdure vanno coperte con circa 1 cm di acqua.

Ridurre la temperatura a 160 ° C sopra / sotto, lasciare sobbollire dolcemente il contenuto della pentola per circa 6 ore e rimuovere la schiuma in mezzo.

Quando il tempo di cottura è terminato, versare il brodo di vitello o il brodo di vitello attraverso un setaccio fine in una grande casseruola e lasciare raffreddare. Rimuovere lo strato bianco di grasso e usarlo altrove se necessario.

Versare di nuovo il brodo ora viscido attraverso un colino fine e assicurarsi che non venga versato alcun sedimento con esso. Usa il brodo o il brodo o congelalo in porzioni.

MERLUZZO AL VAPORE CON

Porzioni: 4

INGREDIENTI

- 900 G filetto di merluzzo
- 1 Federazione ravanello
- 0.7 Federazione   aneto
- 0.5 Federazione   erba cipollina
- 0,5 Pz Limone biologico
- 1 premio   sale
- 1 premio   Pepe
- 3 cucchiai   Rafano grattugiato (vetro)
- 1 cucchiaio   olio d'oliva

PREPARAZIONE

Per prima cosa sciacquate il pesce, asciugatelo con carta da cucina e eliminate le lische, meglio se con una pinzetta.

Ora togliete le verdure e le radici dai ravanelli, lavateli accuratamente e tagliateli a fettine sottili.

Lavate, asciugate e tritate finemente le delicate foglie di ravanello, aneto ed erba cipollina.

Ora lavate il limone con acqua calda, tagliatelo finemente insieme alla buccia, poi mescolatelo con i ravanelli e le erbe aromatiche.

Quindi stendere un pezzo di carta forno adatto e spargervi metà del composto di ravanelli ed erbe nel senso della lunghezza. Adagiare il filetto di pesce sul composto, condire con sale e pepe e spennellare con rafano. Quindi distribuire il resto della miscela di ravanelli e erbe sul pesce e sigillare la copertura di pergamena.

Ora posiziona il pacco in una pentola a vapore o in una pentola con un inserto per la cottura a vapore e cuoci a vapore per circa 25 minuti.

Infine togliere il pacco, disporlo su un piatto da portata, aprire al centro e servire il baccalà al vapore con ravanelli conditi con olio d'oliva.

MERLUZZO AI FUNGHI

Porzioni: 4

INGREDIENTI

- 500 G filetto di merluzzo
- 1 pc   Succo di limone
- 0,5 TL sale
- 2 TL   Aghi di rosmarino
- 1 cucchiaio   Farina
- 5 Pz   cipolle primaverili
- 170 G Funghi
- 2 cucchiai   burro
- 1 premio   Pepe
- 100 ml vino bianco
- 1 cucchiaio   Prezzemolo tritato

- 1 cucchiaio   Crème fine

PREPARAZIONE

Lavare il filetto di pesce, asciugarlo tamponando con carta da cucina e tagliarlo a pezzetti. Quindi tagliare a metà il limone, strizzarlo e spolverare 1 cucchiaio di succo di limone sui filetti di pesce. Infine aggiustare di sale e cospargere di farina.

Mondate i cipollotti, tagliateli a rondelle, lavateli e scolateli. Mondate i funghi, tagliateli a metà e irrorateli subito con il succo di limone.

Sciogliere il burro in una padella, aggiungere gli aghi di rosmarino lavati e condire con pepe. Quindi aggiungere i funghi e i cipollotti e cuocere a fuoco medio per circa 5 minuti.

Aggiungere quindi i pezzi di pesce, soffriggere per circa 6 minuti, sfumare con vino bianco e condire con sale, succo di limone e pepe.

Infine incorporare la crema fine e servire spolverata di prezzemolo.

GRANOLA ALLO YOGURT CON BANANA

Porzioni: 2

INGREDIENTI

- 2 cucchiai   Chicchi di grano
- 3 TL   uva passa
- 3 TL   Noci, tritate
- 1 TL   Crusca di frumento
- 1 pc   Banana
- 2 cucchiai   Miele liquido
- 300G   Yogurt, a basso contenuto di grassi
- 60 G   Kefir, a basso contenuto di grassi
- 4 Pz   Metà del nocciolo di noce, al filato.

PREPARAZIONE

Per prima cosa, metti i chicchi di grano e l'uvetta in una piccola casseruola, copri solo con acqua e lascia a bagno per una notte. Il giorno successivo, scolare l'acqua e aggiungere le noci e la crusca nella pentola e mescolare.

Quindi sbucciare la banana per il muesli allo yogurt con la banana, tagliarne una metà a fettine sottili e schiacciare l'altra metà con una forchetta. Disporre le fette di banana su 2 ciotole.

Mescolare la purea di banana con il miele in una ciotola con lo yogurt. Mescolare il kefir e la miscela di cereali.

Infine, distribuire la miscela di yogurt tra le due ciotole e guarnire ogni porzione con due noci.

SALSA ALL'AGLIO ALLO

Porzioni: 4

INGREDIENTI

- 1 Bch   Yogurt al latte scremato
- 1 TL   Sale alle erbe
- 1 premio   Pepe
- 4 Pz   Spicchi d'aglio
- 1 Spr   Succo di limone

PREPARAZIONE

Per prima cosa sbucciare gli spicchi d'aglio e pressarli attraverso lo spremiaglio in una ciotola. Quindi mescolare bene con lo yogurt.

Infine condire la salsa allo yogurt e aglio con succo di limone, sale alle erbe e pepe e servire.

CONDIMENTO ALLA SENAPE AL MIELE DI YOGURT

Porzioni: 4

INGREDIENTI

- 200 G Yogurt naturale, più greco
- 6 TL   Miele, liquido
- 4 TL   senape di Digione
- 1 premio   sale
- 1 premio   Pepe, nero, macinato fresco
- 0.5 Federazione   erba cipollina

PREPARAZIONE

Per prima cosa mettere lo yogurt in una ciotola e incorporare il miele con una frusta piatta.

Quindi aggiungere la senape, mescolare e condire con sale e pepe.

Lavate l'erba cipollina, asciugatela e tagliatela a rotoli molto fini con le forbici. Mescolare gli involtini di erba cipollina nella salsa di senape al miele e yogurt.

Condire il condimento con un pizzico di paprika in polvere e coprire e raffreddare.

INSALATA DI PANE ITALIANO - PANZANELLA

Porzioni: 2

INGREDIENTI

- 300G   Pane raffermo (qualsiasi tipo)
- 1 Spr   Olio d'oliva (vergine, di buona qualità)
- 2 Pz   Spicchi d'aglio
- 5 Pz   Pomodori a grappolo
- 2 Pz   Cetriolo
- 1 premio   sale
- 1 premio   Pepe (appena macinato)
- 250 mg   Aceto (aceto di vino rosso)
- 250 ml acqua

- 1 premio   zucchero di canna
- 1 Federazione basilico
- 1 pc   Cipolla, rossa

PREPARAZIONE

Per prima cosa tagliare il pane a ca. 2 cm di cubetti e preriscaldare il forno a 140 ° C. Quindi stendere i cubetti di pane su una teglia e irrorare con un filo d'olio.

Nella fase successiva, premere gli spicchi d'aglio con la loro pelle e spalmarli sul pane. Ora tosta i cubetti di pane finché non saranno dorati.

Nel frattempo lavate i pomodori, tagliateli a metà e tagliate a cubetti il cetriolo. Tritate finemente la cipolla rossa e mettetela in una ciotola, aggiustate di sale e lasciate riposare per circa 10 minuti.

Aggiungere ora i pomodori ei cetrioli alle cipolle e condire a piacere con olio d'oliva, aceto, acqua, zucchero di canna, sale e pepe macinato fresco.

Infine aggiungere i cubetti di pane tostato e mescolare bene con le foglie di basilico. Lascia riposare il tutto per circa 10 minuti e poi servi.

ZUPPA DI CIPOLLE ITALIANE

Porzioni: 4

INGREDIENTI

- 4 TL Prezzemolo, fresco, tritato
- 2 Pz Spicchi d'aglio
- 5 Pz Cipolle
- 3 cucchiai Olio d'oliva, per la pentola
- 300 ml Vino bianco secco
- 450 ml Brodo vegetale, ovviamente
- 1 cucchiaio Succo di limone
- 1 TL sale
- 0,5 TL Pepe
- 4 Schb Pane bianco, tostato
- 250 G Pecorino grattugiato

- 0,5 TL zucchero
- 1 colpo Aceto di vino

PREPARAZIONE

Per la zuppa di cipolle all'italiana, sbucciate prima le cipolle e tagliatele a rondelle. Sbucciate e tritate finemente anche l'aglio.

Quindi scaldare l'olio d'oliva in una casseruola e rosolarvi i pezzi di cipolla e aglio.

Sfumare con il vino e il brodo vegetale e mettere il coperchio. Cuocere a fuoco lento per circa 10 minuti a bassa temperatura, aggiungere sale, pepe, zucchero e condire a piacere con succo di limone e un goccio di aceto di vino.

Utilizzando un bicchiere o uno stampino per biscotti, ritagliare dei piccoli cerchi dal pane bianco (o crostini), spolverare di formaggio e cuocere in forno a ca. 170 gradi per ca. 10 minuti.

Disporre la zuppa di cipolle nei piatti e servire le fette di pane tostato gratinate come inserto.

MARMELLATA DI ZENZERO CON LE ARANCE

Porzioni: 4

INGREDIENTI

- 5 Pz   Arance
- 45 ml   Succo d'arancia, non zuccherato
- 500 G Conservazione dello zucchero, 2: 1
- 1 pc   Zenzero, fresco (delle dimensioni di un pollice)

PREPARAZIONE

Eliminate la buccia dalle arance, dividetele in spicchi e sfilettatele - eliminate anche i noccioli. Pesare i filetti d'arancia e usarne altri 500 grammi.

Quindi sbucciare lo zenzero e grattugiarlo finemente, quindi pesarne 10 grammi.

Quindi mescolare il succo d'arancia in una casseruola con i filetti di arancia, lo zenzero e lo zucchero per velo, portare a ebollizione e far bollire a fuoco vivace, mescolando continuamente (circa 4 minuti). Rimuovere la schiuma risultante.

Quindi riempire immediatamente la marmellata di zenzero calda con le arance in barattoli sterilizzati e sigillarli ermeticamente con un tappo a vite. Capovolgere e lasciare riposare per 5 minuti.

GINGER-LEMON DIP

Porzioni: 4

INGREDIENTI

- 250 G Panna acida o crema fraîche
- 3 cm Zenzero
- 1 pc Limoni, succo e buccia
- 1 premio sale
- 5 cm Citronella

PREPARAZIONE

Pelare e grattugiare finemente o tritare lo zenzero.
Lavare la citronella, scuoterla per asciugarla e tritarla
molto finemente.

Quindi mescolare entrambi in una ciotola con il succo e la scorza grattugiata del limone.

Infine, incorporare la panna acida e condire la salsa allo zenzero e limone con sale.

CURRY DI GAMBERETTI

Porzioni: 4

INGREDIENTI

- 1 cucchiaio   Curcuma
- 1.5 TL Coriandolo, macinato
- 2 cucchiai   Coriandolo, fresco
- 1 TL   cumino
- 1 premio   Noce moscata
- 1 pc   Zenzero, fresco, circa 5 cm
- 3 Pz   Spicchi d'aglio
- 2 Pz   Cipolle
- 3 cucchiai   Olio di arachidi

- 400 G Pezzi di pomodoro (Pacchetto Tetra)
- 200 ml acqua
- 5 cucchiai   Succo di limone
- 5 Pz   foglie di curry
- 800 G Gamberi, freschi
- 1 Stg   cannella
- 1 premio   Polvere di peperoncino

PREPARAZIONE

Per prima cosa mescola la curcuma, il coriandolo, il cumino, il peperoncino in polvere e la noce moscata in una ciotola.

Quindi sbucciate lo zenzero e strofinatelo con le spezie nella ciotola. Pelate l'aglio, passatelo con una pressa per aglio e aggiungetelo. Quindi aggiungere 5 cucchiai d'acqua e mescolare per fare una pasta.

Sbucciare e tritare finemente le cipolle e saltarle in padella con olio caldo fino a renderle traslucide.

Quindi incorporare la pasta di spezie, cuocere a fuoco lento per 1 minuto, quindi aggiungere i pezzi di pomodoro, versare l'acqua e aggiungere il succo di limone, la stecca di cannella e le foglie di curry. Ora lascia cuocere il tutto a fuoco lento per circa 30 minuti.

Nel frattempo lavate i gamberi, asciugateli con carta assorbente e aggiungeteli al curry 4 minuti prima di servire. Quindi rimuovere di nuovo la stecca di cannella e le foglie di curry.

Lavare i verdi di coriandolo, shakerare, tritare finemente e servire il curry di gamberi indiano cosparso di esso.

FILETTO DI POLLO CON FUNGHI E PREZZEMOLO

Porzioni: 4

INGREDIENTI

- 1 premio   sale
- 2 cucchiai   Prezzemolo (fresco)
- 2 cucchiai   olio
- 2 cucchiai   Farina
- 2 Pz   aglio
- 750 ml Brodo vegetale
- 800 G Filetto di pollo
- 200 G Funghi
- 1 pc   cipolla

- 1 premio   Pepe
- 1 colpo crema

PREPARAZIONE

Per prima cosa sbucciate e tritate la cipolla. Scaldare l'olio in una padella, quindi arrostire i pezzi di cipolla, spolverare di farina e aggiungere il brodo vegetale.

Lavate il prezzemolo, asciugatelo, tritatelo e aggiungetelo. Mondare, lavare, affettare e aggiungere i funghi.

Togliere la pelle e i tendini dal filetto di pollo, quindi sciacquare con acqua, asciugare tamponando, tagliarlo a pezzetti e mescolare. Ora lasciate cuocere a fuoco lento per circa 10-15 minuti.

Poco prima di servire, raffinare con un po 'di panna e, se necessario, addensare con un addensante per salsa. Condire con sale e pepe.

STRISCE DI PETTO DI POLLO ALL'ITALIANA

Porzioni: 4

INGREDIENTI

- 600 G Filetti di petto di pollo
- 1 premio   sale
- 2 cucchiai   Olio d'oliva, per la padella
- 1 premio   Pepe

Per la salsa di pomodoro

- 300G   Pomodori pelati (latta)
- 4 Pz   Spicchi d'aglio
- 1 pc   cipolla

- 1 premio   sale
- 1 premio   Pepe
- 1 TL   zucchero
- 1 colpo Brodo vegetale

PREPARAZIONE

Lavate il pollo, asciugatelo tamponando con carta da cucina, eliminate la pelle e i tendini, tagliatelo a listarelle di ca. 1 cm di spessore e condire con sale e pepe.

Scaldare l'olio d'oliva in una padella e soffriggere le strisce di pollo su entrambi i lati per qualche minuto. Quindi togliere la carne dalla padella e tenerla al caldo.

Per la salsa di pomodoro, sbucciate l'aglio e le cipolle, tritatele finemente e fatele arrostire brevemente nell'arrosto.

Aggiungete quindi i pomodori pelati, condite con sale, pepe e zucchero, aggiungete se necessario un po 'di brodo vegetale e lasciate cuocere a fuoco lento per qualche minuto.

Quindi filtrare la salsa di pomodoro (= passare al setaccio) e servire con le strisce di petto di pollo.

PORRIDGE DEL MIGLIO CON L'UVA

Porzioni: 1

INGREDIENTI

- 700 ml latte
- 1 premio   sale
- 100 GRAMMI Fiocchi di miglio biologico
- 1 Pa   Uva
- 1 TL   zucchero vanigliato
- 1 cucchiaio   miele

PREPARAZIONE

Per la polenta di miglio, mettere prima il latte in una casseruola, portare a ebollizione insieme al miglio e cuocere a fuoco lento per circa 15-20 minuti mescolando di tanto in tanto.

Quindi condite la polenta di miglio con un pizzico di sale, lo zucchero vanigliato e, se vi piace, un po 'di miele.

Versate il mosto in una ciotola, tagliate o dimezzate l'uva e spalmatelo sopra. Se necessario, spolverare un po 'con cannella in polvere o cacao in polvere.

COMPOSTA DI MIGLIO CON MELA E CANNELLA

Porzioni: 4

INGREDIENTI

- 1 pc   Limone
- 250 G miglio
- latte di soia
- 7 cucchiai   Sciroppo di agave
- 3 Pz   Mele
- 1 TL   Cannella in polvere
- 30 G   mandorle
- 100 GRAMMI Yogurt naturale

PREPARAZIONE

Per prima cosa sciacquare il miglio con acqua tiepida al setaccio e scolarlo bene.

Quindi riscaldare il latte di soia in una casseruola a fuoco medio e incorporare 5 cucchiai di sciroppo d'agave.

Quindi aggiungere il miglio e lasciare gonfiare il tutto (non bollire) per 20 minuti, mescolando di tanto in tanto.

Nel frattempo sbucciare, togliere il torsolo e il gambo delle mele e tagliarle a cubetti.

Quindi lavare e asciugare il limone e strofinare finemente la buccia con una grattugia da cucina. Ora taglia a metà il limone e strizzalo.

Quindi portare a ebollizione il succo di limone insieme ai 2 cucchiai rimanenti di sciroppo d'agave a fuoco vivace e aggiungere le mele e la cannella. Riscalda il tutto a fuoco medio per altri 5 minuti.

Nella fase successiva, arrostire le scaglie di mandorle in una padella senza olio per 5 minuti a fuoco medio fino a doratura.

Quindi mescolare il miglio alla miscela di mele e cannella e anche allo yogurt.

Infine versare le mandorle sulla composta di miglio con mela e cannella e servire.

GAZPACHO CALDO

Porzioni: 4

INGREDIENTI

- 1 pc   cipolla
- 1 pc   Paprika, gialla
- 1 pc   Paprika, rossa
- 200 G zucchine
- 200 G Pezzi di pomodoro (TetraPack)
- 2 cucchiai   olio d'oliva
- 1 cucchiaio   Timo, tritato
- 450 ml Brodo vegetale
- 25 G   Zenzero
- 100 ml Crème fraiche al formaggio
- 4 cucchiai   Succo di limone

- 0,5 TL Sambal Oelek
- 1 pc   spicchio d'aglio

PREPARAZIONE

Tagliate a metà i peperoni, privateli del torsolo, lavateli e tagliateli a cubetti. Lavate le zucchine e tagliatele a pezzetti. Mettere da parte un po 'di verdure a dadini per la guarnizione.

Pelare la cipolla e l'aglio e tritarli finemente.

Scaldare l'olio in una casseruola e rosolarvi i pezzi di cipolla e aglio. Quindi aggiungere il timo e il peperone e le zucchine tritate grossolanamente, soffriggere brevemente e poi incorporare i pomodori. Poi versate sopra il brodo vegetale, coprite con il coperchio e lasciate cuocere a fuoco lento per 15 minuti.

Quindi frullare finemente la zuppa e filtrare con un setaccio in un'altra casseruola. Pelare lo zenzero, tagliarlo a dadini, aggiungerlo alla zuppa insieme alla panna fresca e riportarlo a ebollizione.

Infine condire il gazpacho caldo con sambal oelek e succo di limone, dividerlo nelle ciotole, spolverare con le verdure che avete messo da parte e servire spolverato con un po 'di prezzemolo.

LEPRE CON SALSA DI

Porzioni: 4

INGREDIENTI

- 5 cucchiai   Olio di semi di girasole
- 2 cucchiai   Burro chiarificato
- 1 cucchiaio   Cognac
- 5 Schb   Pancetta, mista
- 150 G   Funghi
- 5 cucchiai   Brodo vegetale
- 1 pc   Coniglio, smontato
- 1 pc   spicchio d'aglio
- 1 pc   Succo di limone

- 3 Pz   pomodori
- 1 premio   sale e pepe
- 1 cucchiaio   Farina

PREPARAZIONE

Pelate l'aglio e passatelo nella pressa per aglio. Spremi il limone e raccogli il succo.

Per la marinata, mescolare insieme olio, aglio e succo di limone, sale e pepe. Strofinate e versateci sopra i pezzi di coniglio e lasciate marinare per almeno 4 ore.

Mondare i funghi e tagliarli a pezzi di uguale grandezza (metà o un quarto).

Scottare i pomodori con acqua calda, pelarli e tagliarli a pezzetti

Scolare la carne in un colino raccogliendo la marinata. Asciugare i pezzi di coniglio con carta da cucina.

Sciogliere il burro chiarificato in una casseruola e soffriggere le strisce di pancetta a fuoco medio fino a quando non saranno ben dorate. Aggiungete i pezzi di lepre e fateli soffriggere per circa 30 minuti a fuoco basso girando spesso i pezzi.

Versare il brodo vegetale, il cognac e la marinata. Aggiungete i funghi e i pomodori, coprite e lasciate cuocere a fuoco lento per altri 40 minuti.

Togliere i pezzi di lepre, condire a piacere e addensare con la farina.

FORMAGGIO A MANO CON

Porzioni: 3

INGREDIENTI

- 3 Pz   Formaggio a mano
- 1 premio   Pepe
- 1 premio   sale
- 1 premio   semi di cumino
- 1 colpo Aceto di vino
- 1 Bch   Cedro
- 2 cucchiai   olio
- 1 pc   Cipolla, piccola
- 1 premio   Prezzemolo tritato

- 1 Schb Cipolla, rossa

PREPARAZIONE

Per prima cosa, togli il formaggio a mano dalla confezione, mettilo in una ciotola sigillabile e versaci sopra l'olio fino a quando non brilla leggermente.

Ora versare il sidro e un goccio di aceto di vino e marinare il formaggio a mano.

Aggiungere un po 'di sale e pepe a piacere.

L'aggiunta di un po 'di cumino facilita lo stomaco del piatto.

Per la "musica" sbucciare le cipolle, tagliarle a cubetti molto piccoli e spolverare sopra il formaggio.

Ora chiudete la lattina con il coperchio, capovolgetela e agitate un po 'in modo che tutti gli ingredienti si amalgamino bene.

Mettere a bagno il formaggio a mano in frigorifero per 6 ore e lasciarlo riposare.

Disporre quindi il formaggio su 3 piatti, versarvi sopra il brodo e servire spolverato di prezzemolo.

GRUEL

Porzioni: 2

INGREDIENTI

- 200 G Farina d'avena, bene
- 1 premio   sale
- 1 cucchiaio   zucchero
- 400 ml latte
- 1 premio   Cannella in polvere
- 1 TL   zucchero vanigliato

PREPARAZIONE

In un pentolino mettete il latte insieme ai fiocchi
d'avena, un pizzico di sale, lo zucchero e lo zucchero

vanigliato e portate a bollore brevemente. Mescola costantemente in modo che la pappa non bruci.

Quindi togli la pentola dalla piastra e lasciala in ammollo per 5 minuti buoni con il coperchio chiuso.

Quindi riempire la pappa in piccole ciotole e servire spolverata di zucchero e cannella.

GRANELLA DI AVENA CON

Porzioni: 2

INGREDIENTI

- 100 GRAMMI fiocchi d'avena
- 300 ml acqua
- 1 premio   sale
- 2 Pz   Banana
- 50 G   Miscela di frutta, essiccata

PREPARAZIONE

Per prima cosa sbucciate la banana e tagliatela a fettine. Quindi portare a ebollizione in una casseruola acqua calda, fiocchi d'avena e sale e cuocere a fuoco lento per 5 minuti. Mescolate sempre in modo che il composto diventi cremoso.

Poco prima della fine del tempo di cottura, incorporare la miscela di frutta e cuocere a fuoco lento brevemente. Versare il composto nelle ciotole e distribuirvi sopra le fettine di banana.

BEVANDA DI FARINA

Porzioni: 2

INGREDIENTI

- 200 G Yogurt naturale o alla frutta
- 1 pc   Banana, fantastico
- 4 cucchiai   Farina d'avena, sostanziosa
- 100 ml succo d'arancia

PREPARAZIONE

Per questa bevanda salutare, versa lo yogurt naturale in
una tazza alta. (Se non ti piace così tanto la natura,
prendi solo yogurt alla frutta.)

Quindi togli una banana dalla buccia e tagliala a pezzi. Metti questi pezzi con la farina d'avena nella tazza con lo yogurt.

Quindi frullare finemente il tutto, preferibilmente con un frullatore a immersione.

Se la bevanda è un po 'troppo densa, aggiungi del succo d'arancia.

Infine, dividi la bevanda di farina d'avena tra 2 bicchieri e servi.

STRISCE DI PETTO DI POLLO CON PAPRIKA

Porzioni: 2

INGREDIENTI

- 2 Pz   Peperone rosso
- 1 pc   spicchio d'aglio
- 400 G Filetto di petto di pollo
- 1 cm   Zenzero, fresco
- 2 in mezzo   Timo, fresco
- 4 cucchiai   Olio di colza
- 1 premio   sale
- 1 premio   Pepe, appena macinato
- 50 ml Brodo vegetale

PREPARAZIONE

Per prima cosa tagliare i peperoni a metà, privarli del torsolo e del torsolo, lavarli sotto l'acqua corrente e tagliarli a listarelle.

Quindi sbucciare e tritare finemente l'aglio. Pelare, lavare e grattugiare finemente lo zenzero. Lavare i rametti di timo, scuotere per asciugarli, staccare le foglie e tritarle finemente.

Togliere pelle e tendini ai filetti di petto di pollo, sciacquare sotto l'acqua fredda, asciugare tamponando con carta da cucina, tagliarli a listarelle e condire con sale e pepe.

Ora scaldate 2 cucchiai di olio in una padella e friggete le strisce di petto di pollo tutt'intorno per 5 minuti fino a doratura. Quindi togliere dalla padella e mettere da parte.

Riscaldare di nuovo 2 cucchiai di olio nella padella, quindi rosolare le strisce di peperone, l'aglio e lo zenzero a fuoco medio per 3 minuti. Aggiungere quindi il timo, il sale, il pepe e sfumare con il brodo vegetale. Cuoci le verdure al vapore per 5 minuti.

Ora rimettete le strisce di petto di pollo nella padella, piegatele sotto le verdure e continuate a friggere per 4 minuti.

INSALATA DI PETTO DI

S

Porzioni: 4

INGREDIENTI

- 2 Pz   Filetto di petto di pollo, grigliato
- 3 Stg Sedano rapa
- 2 Pz   Carote
- 5 Pz   cipolle primaverili
- 2 cucchiai   Scaglie di mandorle

per la marinata

- 2 cucchiai   uva passa
- 3 cl   Sherry, mediamente secco

- 1 premio   sale e pepe
- 5 cucchiai   olio d'oliva
- 1 premio   peperoncino di Cayenna
- 1 colpo aceto di vino bianco

PREPARAZIONE

Per prima cosa scaldate circa 50 ml di acqua, aggiungetela all'uvetta, poi versate l'acqua, asciugate l'uvetta con carta da cucina, mettetela in una tazza, versateci sopra lo sherry e lasciatela in infusione.

Nel frattempo tagliare i filetti di petto di pollo alla griglia a pezzetti.

Raschiare le carote e tagliarle a bastoncini sottili. Se necessario, staccare i fili grossi dal sedano, lavare il sedano e tagliarlo a pezzetti. Mondate i cipollotti, eliminate le radici, lavate e tagliate a rondelle i cipollotti. Quindi mettere la carne, le carote, il sedano e i cipollotti in una ciotola.

Per la marinata, mescolare l'aceto con sale e pepe. Mescolare l'uvetta con lo sherry e l'olio d'oliva nell'aceto e condire con pepe di Caienna.

Quindi versare la marinata sugli ingredienti dell'insalata, mescolare bene e servire l'insalata di petto di pollo guarnita con i fiocchi di mandorle.

CONCLUSIONE

Se vuoi perdere qualche chilo, la dieta a basso contenuto di carboidrati e a basso contenuto di grassi alla fine raggiungerà i tuoi limiti. Sebbene il peso possa essere ridotto con le diete, il successo di solito è solo di breve durata perché le diete sono troppo unilaterali. Quindi, se vuoi perdere peso ed evitare il classico effetto yo-yo, dovresti piuttosto controllare il tuo bilancio energetico e ricalcolare il tuo fabbisogno calorico giornaliero.

L'ideale è aderire a una variante delicata della dieta a basso contenuto di grassi con 60-80 grammi di grassi al giorno per tutta la vita. Aiuta a mantenere il peso e protegge dal diabete e dai lipidi nel sangue alti con tutti i loro rischi per la salute.

La dieta a basso contenuto di grassi è relativamente facile da implementare perché devi solo rinunciare ai cibi grassi o limitare fortemente la loro proporzione nella quantità giornaliera di cibo. Con la dieta a basso contenuto di carboidrati, invece, sono necessarie una pianificazione molto più precisa e una maggiore resistenza. Tutto ciò che ti riempie davvero è solitamente ricco di carboidrati e dovrebbe essere evitato. In determinate circostanze, questo può portare a voglie di cibo e quindi al fallimento della dieta. È essenziale che tu mangi correttamente. Molte compagnie di assicurazione sanitaria statali offrono quindi corsi di prevenzione o pagano per una consulenza

nutrizionale individuale. Questo consiglio è estremamente importante, soprattutto se decidi di seguire una dieta dimagrante in cui desideri modificare in modo permanente l'intera dieta. Se la tua assicurazione sanitaria privata paga tali misure dipende dalla tariffa che hai stipulato.

RICETTE A BASSO CONTENUTO DI GRASSO

Un ricettario a basso contenuto di grassi con oltre 50 ricette facili e veloci

Elia Serci

Tutti i diritti riservati.

Disclaimer

Le informazioni contenute in i intendono servire come una raccolta completa di strategie sulle quali l'autore di questo eBook ha svolto delle ricerche. Riassunti, strategie, suggerimenti e trucchi sono solo raccomandazioni dell'autore e la lettura di questo eBook non garantisce che i propri risultati rispecchino esattamente i risultati dell'autore. L'autore dell'eBook ha compiuto ogni ragionevole sforzo per fornire informazioni aggiornate e accurate ai lettori dell'eBook. L'autore e i suoi associati non saranno ritenuti responsabili per eventuali errori o omissioni involontarie che possono essere trovati. Il materiale nell'eBook può includere informazioni di terzi. I materiali di terze parti comprendono le opinioni espresse dai rispettivi proprietari. In quanto tale, l'autore dell'eBook non si assume alcuna responsabilità per materiale o opinioni di terzi.

INTRODUZIONE

Una dieta povera di grassi riduce la quantità di grasso che viene ingerita attraverso il cibo, a volte drasticamente. A seconda dell'estrema implementazione di questo concetto di dieta o nutrizione, possono essere consumati solo 30 grammi di grassi al giorno.

Con la nutrizione integrale convenzionale secondo l'interpretazione della German Nutrition Society, il valore raccomandato è più del doppio (circa 66 grammi o dal 30 al 35 percento dell'apporto energetico giornaliero). Riducendo notevolmente il grasso alimentare, i chili dovrebbero cadere e / o non sedersi sui fianchi.

Anche se non ci sono cibi proibiti di per sé con questa dieta: con salsiccia di fegato, panna e patatine fritte avete raggiunto il limite giornaliero di grassi più velocemente di quanto si possa dire "tutt'altro che pieno". Pertanto, per una dieta povera di grassi, dovrebbero finire nel piatto principalmente o esclusivamente alimenti a basso contenuto di grassi, preferibilmente grassi "buoni" come quelli del pesce e degli oli vegetali.

QUALI SONO I BENEFICI DI UNA DIETA POCA DI GRASSI?

Il grasso fornisce acidi grassi vitali (essenziali). Il corpo ha anche bisogno di grasso per essere in grado di assorbire alcune vitamine (A, D, E, K) dal cibo. Eliminare

del tutto i grassi dalla dieta non sarebbe quindi una buona idea.

Infatti, soprattutto nei paesi ricchi di industria, ogni giorno viene consumata una quantità di grassi significativamente maggiore di quella raccomandata dagli esperti. Un problema con questo è che il grasso è particolarmente ricco di energia: un grammo di esso contiene 9,3 calorie e quindi il doppio di un grammo di carboidrati o proteine. Un maggiore apporto di grassi favorisce quindi l'obesità. Inoltre, si dice che troppi acidi grassi saturi, come quelli nel burro, nello strutto o nel cioccolato, aumentino il rischio di malattie cardiovascolari e persino di cancro. Mangiare diete a basso contenuto di grassi potrebbe prevenire entrambi questi problemi.

ALIMENTI A BASSO CONTENUTO DI GRASSI: TABELLA DELLE ALTERNATIVE MAGRE

La maggior parte delle persone dovrebbe essere consapevole che non è salutare riempirsi di grasso incontrollato. Le fonti evidenti di grasso come i bordi di grasso sulla carne e sulla salsiccia o sui laghi di burro nella padella sono facili da evitare.

Diventa più difficile con i grassi nascosti, come quelli che si trovano nei dolci o nei formaggi. Con quest'ultimo, la quantità di grasso è talvolta indicata come percentuale assoluta, a volte come "% FiTr.", Cioè il contenuto di grasso nella sostanza secca che si forma quando l'acqua viene rimossa dal cibo.

Per una dieta a basso contenuto di grassi devi guardare attentamente, perché un quark crema con l'11,4% di grassi suona meno grasso di uno con il 40% di FiTr .. Entrambi i prodotti hanno lo stesso contenuto di grassi. Gli elenchi di esperti di nutrizione (ad esempio il DGE) aiutano a integrare una dieta a basso contenuto di grassi nella vita di tutti i giorni il più facilmente possibile e ad evitare il rischio di inciampare. Ad esempio, ecco un invece di una tabella (cibi ricchi di grassi con alternative a basso contenuto di grassi):

Alimenti ricchi di grassi

Alternative a basso contenuto di grassi

Burro

Crema di formaggio, quark alle erbe, senape, panna acida, concentrato di pomodoro

Patatine fritte, patate fritte, crocchette, frittelle di patate

Patate al cartoccio, patate al forno o patate al forno

Pancetta di maiale, salsiccia, oca, anatra

Vitello, cervo, tacchino, cotoletta di maiale, -lende, pollo, petto d'anatra senza pelle

Lyoner, mortadella, salame, salsiccia di fegato, sanguinaccio, pancetta

Prosciutto cotto / affumicato senza bordo di grasso, salsicce magre come prosciutto di salmone, petto di tacchino, carne arrosto, salsiccia aspic

Alternative senza grassi alla salsiccia o al formaggio o da abbinare a loro

Pomodoro, cetriolo, fette di ravanello, lattuga sul pane o anche fette di banana / spicchi di mela sottili, fragole

Bastoncini di pesce

Pesce al vapore a basso contenuto di grassi

Tonno, Salmone, Sgombro, Aringa

Merluzzo al vapore, merluzzo carbonaro, eglefino

Latte, yogurt (3,5% di grassi)

Latte, yogurt (1,5% di grassi)

Quark crema (11,4% di grassi = 40% FiTr.)

Quark (5,1% di grassi = 20% FiTr.)

Doppia crema di formaggio (31,5% di grassi)

Formaggio a strati (2,0% di grassi = 10% FiTr.)

Formaggio grasso (> 15% di grasso = 30% FiTr.)

Formaggi magri (max.15% di grassi = max.30% FiTr.)

Creme fraiche (40% di grassi)

Panna acida (10% di grassi)

Mascarpone (47,5% di grassi)

Formaggio cremoso granuloso (2,9% di grassi)

Torta alla frutta con pasta frolla

Torta alla frutta con lievito o pastella di pan di spagna

Pan di Spagna, torta alla crema, biscotti al cioccolato, pasta frolla, cioccolato, barrette

Dolci magri come pane russo, savoiardi, frutta secca, orsetti gommosi, gomme alla frutta, mini baci al cioccolato (attenzione: zucchero!)

Crema di torrone alle noci, fette di cioccolato

Crema di formaggio granuloso con un po 'di marmellata

Cornetti

Croissant pretzel, panini integrali, pasticcini lievitati

Frutta a guscio, patatine

Bastoncini di sale o salatini

Gelato

Gelato alla frutta

Olive nere (35,8% di grassi)

Olive verdi (13,3% di grassi)

DIETA A POCO GRASSO: COME RISPARMIARE I GRASSI IN FAMIGLIA

Oltre allo scambio degli ingredienti, ci sono alcuni altri trucchi che puoi usare per incorporare una dieta a basso contenuto di grassi nella tua vita quotidiana:

Cuocere a vapore, stufare e grigliare sono metodi di cottura a basso contenuto di grassi per una dieta a basso contenuto di grassi.

Cuocere nel Römertopf o con speciali pentole in acciaio inossidabile. Il cibo può anche essere preparato senza grassi in padelle rivestite o nella pellicola.

Puoi anche risparmiare grasso con uno spruzzatore a pompa: versa circa metà dell'olio e dell'acqua, agitalo e spruzzalo sulla base della pentola prima di friggere. Se non si dispone di uno spruzzatore a pompa, è possibile ungere la pentola con una spazzola: in questo modo si risparmia anche grasso.

Per una dieta a basso contenuto di grassi in salse alla panna o stufati, sostituire metà della panna con il latte.

Lascia raffreddare zuppe e salse e poi togli il grasso dalla superficie.

Preparare le salse con un filo d'olio, panna acida o latte.

Il brodo di verdure e arrosto può essere abbinato a purea di verdure o patate crude grattugiate per una dieta povera di grassi.

Metti la carta forno o la pellicola sulla teglia, quindi non c'è bisogno di ungere.

Basta aggiungere un pezzetto di burro ed erbe fresche ai piatti di verdure e presto anche gli occhi mangeranno.

Legare i piatti di crema con la gelatina.

DIETA A POCO GRASSO: QUANTO È SALUTARE DAVVERO?

Per molto tempo, gli esperti di nutrizione sono stati convinti che una dieta a basso contenuto di grassi sia la chiave per una figura snella e salute. Burro, panna e carne rossa, invece, erano considerati un pericolo per il cuore, i valori del sanguee scale. Tuttavia, sempre più studi suggeriscono che il grasso in realtà non è così male come diventa. A differenza di un piano nutrizionale a ridotto contenuto di grassi, i soggetti del test potevano, ad esempio, attenersi a un menu mediterraneo con molto olio vegetale e pesce, essere più sani e comunque non ingrassare.

Confrontando diversi studi sui grassi, i ricercatori americani hanno scoperto che non vi era alcuna connessione tra il consumo di grassi saturi e il rischio di malattia coronarica. Non c'erano nemmeno prove scientifiche chiare che le diete a basso contenuto di grassi prolungassero la vita. Solo i cosiddetti grassi trans, che vengono prodotti, tra l'altro, durante la frittura e l'indurimento parziale dei grassi vegetali (in patatine fritte, patatine fritte, prodotti da forno pronti ecc.), Sono stati classificati come pericolosi dagli scienziati.

Coloro che mangiano solo o principalmente cibi a basso contenuto di grassi o senza grassi probabilmente mangiano in modo più consapevole in generale, ma corrono il rischio di assumere troppo poco dei "grassi buoni". C'è anche il rischio di una carenza di vitamine liposolubili, che il nostro corpo ha bisogno di assorbire dai grassi.

Dieta a basso contenuto di grassi: la linea di fondo

Una dieta a basso contenuto di grassi richiede di occuparsi degli alimenti che si intende consumare. Di conseguenza, è probabile che si sia più consapevoli di acquistare, cucinare e mangiare.

Per la perdita di peso, tuttavia, non è principalmente da dove provengono le calorie che conta, ma che ne assumi meno al giorno rispetto a quelle che usi. Ancora di più: i grassi (essenziali) sono necessari per la salute generale, poiché senza di essi il corpo non può utilizzare determinati nutrienti e non può svolgere determinati processi metabolici.

In sintesi, questo significa: una dieta a basso contenuto di grassi può essere un mezzo efficace per il controllo del peso o per compensare l'indulgenza dei grassi. Non è consigliabile rinunciare completamente ai grassi alimentari.

PATATE IN GIACCA CON QUARK ALLE ERBE

Porzioni: 4

INGREDIENTI

- 1 kg   Patate
- per il quark alle erbe
- 1 TL   sale
- 1 pc   Scalogno (piccolo)
- 1 Federazione erba cipollina
- 0.5 Federazione   prezzemolo
- 0.5 Federazione   erba cipollina
- 500 G quark a basso contenuto di grassi
- 100 ml latte
- 1 cucchiaio   Crème fraiche al formaggio

- 1 premio   Pepe

PREPARAZIONE

Lavate prima le patate e fatele cuocere con la pelle in acqua salata per circa 20 minuti.

Nel frattempo, prepara il quark alle erbe. Per fare questo, sbucciare lo scalogno e tagliarlo a cubetti molto fini. Lavate bene l'erba cipollina fresca, un mazzetto di prezzemolo e aneto, shakerate e tritate finemente.

Mescolare le erbe fresche con il quark, il latte e la panna fresca e condire con sale e pepe.

Al termine della cottura scolate le patate, pelatele e servite le patate al cartoccio con il quark alle erbe.

INSALATA DI PASTA

S

Porzioni: 4

INGREDIENTI

- 250 G Penne (tagliatelle di grano duro)
- 200 G Pomodori da cocktail
- 1 Federazione basilico
- 1 colpo olio d'oliva
- 1 colpo Aceto balsamico
- 1 premio   sale

PREPARAZIONE

Per l'insalata di pasta, cuocere prima le tagliatelle
(meglio le penne rigate) in una casseruola con acqua
salata per circa 10-12 minuti fino al dente. Le tagliatelle

sono perfette quando non sono più dure ma solo sode al morso. Quindi scolate la pasta al setaccio.

Nel frattempo lavate i pomodori e tagliateli a metà. Lavare il basilico fresco, shakerare per asciugare e togliere le foglie dai gambi.

Quindi mettere le penne in una ciotola, mescolare con i pomodori, condire con olio d'oliva, aceto balsamico e sale e infine aggiungere le foglie di basilico.

RISO PAPRIKA

S

Porzioni: 4

INGREDIENTI

- 1 pc   Peperone giallo
- 2 Pz   Peperone rosso
- 2 cucchiai   olio d'oliva
- 250 G riso
- 500 ml acqua
- 1 TL   sale
- 0,5 TL Paprika in polvere, calda come la rosa
- 2 cucchiai   Pasta di pomodoro
- 2 cucchiai   Prezzemolo tritato

PREPARAZIONE

Tagliare a metà i peperoni, privarli dei semi, lavarli e tagliarli a cubetti molto piccoli. Quindi rosolare i pezzi di pepe in una casseruola con olio d'oliva.

Quindi aggiungere il riso e mescolare brevemente. Versare l'acqua, spolverare con la paprika in polvere e il sale, portare a ebollizione e far gonfiare per circa 10-15 minuti a fuoco basso con il coperchio chiuso - fino a quando l'acqua non sarà assorbita dal riso.

Infine incorporare il prezzemolo tritato e il concentrato di pomodoro nel riso alla paprika.

PEPERONI CAMPANE CON RIPIENO DI COUSCOUS

Porzioni: 4

INGREDIENTI

- 8 Pz   Peperone dolce, rosso, verde, giallo
- 500 ml Brodo vegetale
- 300G   couscous
- 3 Pz   Scalogni, tritati finemente
- 0.5 Federazione   erba cipollina
- 1 premio   sale
- 1 premio   Pepe dalla smerigliatrice
- 1 premio   zucchero
- 1 premio   Curry in polvere

- 1 TL   Burro, da spalmare
- 100 GRAMMI Pomodori da cocktail

PREPARAZIONE

Lavate i peperoni, tagliate il coperchio, privateli dei semi e poi fateli cuocere in una casseruola con acqua salata per circa 2 minuti e sciacquate in acqua fredda.

Quindi portate a ebollizione il brodo vegetale, versateci sopra il cuscus e lasciate in ammollo per 10 minuti buoni.

Nel frattempo lavate i pomodori e tagliateli a metà. Pulite e tritate finemente gli scalogni. Lavate l'erba cipollina, asciugatela e tritatela finemente.

Quindi mescolare il cuscus ammollato con lo scalogno, i pomodori e l'erba cipollina e condire con sale, pepe, curry in polvere e zucchero.

Riempire i peperoni con il composto di cuscus, spalmare di burro, rimettere il coperchio, mettere i peperoni in una pirofila (o teglia o stampo refrattario) e metterli nel forno preriscaldato a circa 180 gradi (calore alto-basso) per circa 15-20 Cuocere per minuti.

PAPAS ARRUGADAS (PATATE SALE E RUGGITE)

Porzioni: 4

INGREDIENTI

- 250 G sale marino
- 1 l   acqua
- 1 kg   Patate, cerose, di piccole e medie dimensioni

PREPARAZIONE

Papas Arrugadas è un piatto tradizionale di patate delle Isole Canarie (Spagna). Per fare questo, lavare bene le patate e metterle con acqua sufficiente per coprirle appena tutte nella pentola.

Aggiungere il sale, portare a ebollizione le patate con la buccia, riportare a fuoco medio e coprire la pentola con un coperchio in modo che l'acqua possa evaporare.

Ora cuocere le patate delicatamente per circa 20-25 minuti (a seconda delle dimensioni delle patate) finché non sono morbide, ma non dovrebbero diventare mollicce.

Quindi versare l'acqua di cottura, asciugare la pentola e rimetterla sulla piastra del forno spenta per circa 30 minuti. Le patate evaporano e assumono una leggera crosta di sale biancastra - assumono anche il tipico aspetto rugoso.

PANNA COTTA AL LATTE

S

Porzioni: 4

INGREDIENTI

- 200 ml latte
- 600 ml Burro di latte
- 1 pc   Baccello di vaniglia
- 2 cucchiai   Zucchero, va bene
- 5 Bl   Gelatina, bianca

PREPARAZIONE

Per prima cosa immergere la gelatina in una ciotola di acqua fredda per 5 minuti. Tagliate il baccello di vaniglia nel senso della lunghezza con un coltello affilato e grattate via la polpa.

In un pentolino mettete il latte con lo zucchero, unite la polpa di vaniglia e il baccello di vaniglia e portate a ebollizione.

A questo punto portate a ebollizione il latte alla vaniglia per circa 1 minuto, poi toglietelo dal fuoco, togliete il baccello di vaniglia, strizzate la gelatina e unite foglia per foglia al latte caldo e mescolate finché non si sarà sciolto.

Quindi lasciate riposare il composto di latte per circa 10 minuti, quindi incorporate il latticello.

Sciacquate ora 4 bicchieri da dessert con acqua fredda, versate il composto di latte e mettete in frigo per almeno 5 ore.

Servire poi la panna cotta con il latte ben raffreddato nei bicchieri o capovolto sui piatti da portata.

PANNA COTTA AL LATTE

S

Porzioni: 4

INGREDIENTI

- 750 ml Latte intero
- 1 Pz   zucchero vanigliato
- 4 cucchiai   zucchero
- 1 TL   Agar-agar, colmo
- 1 TL   Olio vegetale, neutro
- 4 Pz   Ciotole da dessert, 200 ml

PREPARAZIONE

Per prima cosa mettere il latte in una casseruola e
aggiungere lo zucchero e lo zucchero vanigliato. Quindi

incorporare l'agar e portare a ebollizione il latte, mescolando continuamente.

Portare il latte a ebollizione per circa 2 minuti, quindi abbassare la temperatura e cuocere a fuoco lento il latte a fuoco medio per circa 10 minuti. Mescola ancora e ancora.

Nel frattempo, spennellate leggermente le coppette con olio vegetale. Versate il latte negli stampini e lasciate raffreddare un po '.

Coprite quindi con pellicola e lasciate raffreddare in frigorifero per almeno 4 ore.

La panna cotta con il latte servita nella ciotola o nella ciotola si tuffa brevemente in acqua calda e il dolce poi balza sul piatto.

IMPASTO ORIGINALE

S

Porzioni: 5

INGREDIENTI

- 500 G Farina, bianca, tipo 405
- 5 Pz Uova, taglia M
- 1.5 TL sale
- 1 premio   Sale, per l'acqua di cottura
- 250 ml Acqua, tiepida

PREPARAZIONE

Per l'impasto originale degli spaetzle, mettere insieme gli ingredienti come farina, uova e sale in una ciotola e mescolare. Quindi aggiungere gradualmente l'acqua e sbattere bene con il cucchiaio per impastare.

L'impasto dovrebbe essere in grado di battere le bolle e poter essere tirato su con il cucchiaio per impastare. Aggiustate la consistenza con l'acqua. Quindi coprite la ciotola e lasciate riposare brevemente, circa 10 minuti.

Nel frattempo portate a ebollizione l'acqua salata, poi stendete la pasta in porzioni sottili su una spianatoia umida e tagliate nell'acqua delle strisce sottili con un raschietto (o un coltello) e lasciate riposare.

Gli spaetzle finiti vengono fuori molto rapidamente e possono essere rimossi.

YOGURT ALL'ARANCIA E

S

Porzioni: 4

INGREDIENTI

- 4 in mezzo   menta
- 1 pc   Arancia, matura, biologica
- 200 G Yogurt naturale
- 1 premio   zucchero
- 1 premio   sale
- 1 premio   Pepe

PREPARAZIONE

Per prima cosa lavate la menta fresca, scuotetela per asciugarla e tritatela finemente.

Lavate l'arancia matura con acqua calda, asciugatela con carta da cucina e strofinate finemente la buccia. Quindi tagliare la polpa a pezzetti.

Quindi mescolare lo yogurt con la menta, i pezzi di arancia e la buccia d'arancia e condire con sale, pepe e zucchero.

POMODORI AL FORNO

S

Porzioni: 4

INGREDIENTI

- 4 Pz   Pomodori di media grandezza
- 2 TL   olio d'oliva
- 2 cucchiai   Parmigiano grattugiato
- 0.5 Federazione   prezzemolo
- 8 Bl   basilico
- 0,5 TL Origano, essiccato

PREPARAZIONE

Preriscalda il forno a 180 gradi.

Tagliate i pomodori a metà e adagiateli su una teglia con il lato tagliato rivolto verso l'alto.

Pelare e tritare grossolanamente gli spicchi d'aglio. Lavate e tritate il prezzemolo e il basilico.

Spalmare sui pomodori l'aglio, il parmigiano e le spezie, irrorare il tutto con olio e cuocere in forno per 20 minuti fino a quando saranno morbidi e cotti.

PATATE AL FORNO CON RIPIENO DI COUSCOUS

Porzioni: 4

INGREDIENTI

- 4 Pz   Patate, grandi, per lo più cerose
- 1 premio   sale
- 1 premio   Pepe
- 1 cucchiaio   olio d'oliva
- 150 G pomodori
- 1 pc   cetriolo
- 0.5 Federazione   Cipollotto
- 1 cucchiaio   Succo di limone
- 8 cucchiai   Gouda grattugiato
- 4 cucchiai   burro

- 4 cucchiai   Quark, per guarnire

per il cuscus

- 125 G couscous
- 125 ml acqua
- 1 colpo olio d'oliva
- 1 TL   sale

PREPARAZIONE

Preriscaldare il forno a ca. 175 ° C di calore superiore e inferiore. Lavate le patate, asciugatele bene e poi, avvolte nella carta stagnola, cuocete in forno per circa 2 ore.

Nel frattempo portare a ebollizione il cuscus insieme all'acqua (o brodo vegetale), sale e un filo d'olio, togliere la pentola dalla piastra e lasciarla coperta per circa 5 minuti.

Quindi lavare i pomodori, il cetriolo e il cipollotto e tagliarli a pezzetti. Quindi mescolare le verdure con il cuscus e condire con succo di limone, olio d'oliva, sale e pepe.

Quando le patate sono completamente cotte, sfornarle, aprire la carta di alluminio e tagliarle nel senso della lunghezza. Schiacciare un po 'il contenuto delle patate con una forchetta, aggiungere il formaggio grattugiato e il burro e far sciogliere.

Infine versare l'insalata di cuscus sulle patate e guarnire con un cucchiaio di quark.

POLLO AL FORNO

S

Porzioni: 52

INGREDIENTI

- 700 G Patate
- 2 Pz   Spicchi d'aglio
- 3 cucchiai   olio d'oliva
- 1 premio   sale
- 1 premio   Pepe macinato
- 700 G Filetto di pollo
- 150 G Mozzarella

PREPARAZIONE

Preriscaldare prima il forno a 200 ° C di calore superiore e inferiore / 180 ° C di aria in circolazione.

Quindi lavare le patate, sbucciarle e tagliarle a pezzi di circa 1 centimetro di spessore.

Quindi sbucciare e tritare finemente l'aglio e metterlo in una ciotola con le patate.

A questo punto mescolate le patate con sale, pepe e olio d'oliva, mettetele in una teglia unta di burro e infornate per 15 minuti.

Nel frattempo lavate i filetti di pollo e asciugateli con un po 'di carta da cucina.

Quindi, sfornare la pirofila, far scorrere le patate sul bordo della pirofila e posizionare al centro i filetti di pollo.

Nel passaggio successivo, rimetti il tutto in forno per 25 minuti.

Infine, tagliate la mozzarella a fette, adagiatela sul pollo al forno e infornate per altri 2 minuti.

INSALATA DI FRUTTA CON

S

Porzioni: 4

INGREDIENTI

- 2 Pz   Banane
- 2 Pz   Mele
- 2 Pz   Pere
- 2 Pz   Arance
- 300G   Uva, senza semi
- 200 G   Mirtilli
- 4 cucchiai   Succo di limone
- 500 G   Yogurt naturale
- 1 TL   miele

- 1 Pz   zucchero vanigliato

PREPARAZIONE

Lavate prima l'uva, asciugatela con carta da cucina e tagliatela a metà. Risciacquare brevemente i mirtilli e asciugarli. Pelare le arance e tagliarle a pezzi.

Quindi lavare le mele e le pere, tagliarle a quarti, eliminare il torsolo e tagliare la frutta a pezzetti.

Successivamente, sbucciate e affettate le banane e mettetele in una ciotola con il resto della frutta. Mescolate il tutto accuratamente e irrorate con metà del succo di limone.

Mescolare il restante succo di limone con lo yogurt, il miele e lo zucchero vanigliato e versare in quattro ciotole.

Infine distribuire sopra la frutta e servire subito la macedonia con lo yogurt.

INSALATA DI FRUTTA CON ZENZERO FRESCO

Porzioni: 4

INGREDIENTI

- 250 G Uva, senza semi
- 1 pc   Melone verde
- 1 pc   Limone
- 1 cucchiaio   Zucchero, marrone
- 2 cm   Zenzero, fresco
- 2 Pz   arancia

PREPARAZIONE

Pelate il melone, privatelo dei noccioli e tagliate la polpa a cubetti. Quindi pelare le arance, eliminare la buccia bianca e sfilettare le arance.

Lavate, selezionate e tagliate a metà l'uva. Pelate lo zenzero e grattugiatelo molto finemente. Taglia a metà il limone e spremi il succo.

Ora mescola il melone, le arance e l'uva in una ciotola con lo zucchero, il succo di limone e lo zenzero.

Quindi lasciate marinare la macedonia con lo zenzero fresco in frigorifero per 30 minuti.

ZUPPA DI TAGLIATELLE DAL VIETNAM

S

Porzioni: 4

INGREDIENTI

- 300G arrosto di manzo
- 3 cucchiai   salsa di soia
- 2 Pz   Spicchi d'aglio
- 1 Federazione Basilico asiatico
- 500 G Spaghetti di riso
- 1 Federazione Coriandolo, fresco
- 5 Pz   cipolle primaverili
- 2 l   brodo di manzo
- 4 Pz   spicchi di limone

- 6 cucchiai   Germogli di fagiolo

PREPARAZIONE

Per la zuppa di noodle dal Vietnam, preparare i noodles di riso secondo le istruzioni sulla confezione. Alcuni vengono bagnati solo brevemente con acqua bollente, altri devono essere immersi in acqua calda.

Quindi dividere la pasta su 4 piatti fondi bassi.

Tagliate il roast beef a listarelle sottili e mescolatelo con la salsa di soia.

Tritate finemente il basilico asiatico e il coriandolo e metteteli in tavola con i germogli di soia e gli spicchi di limone nelle ciotole.

Lavate e mondate i cipollotti, tagliateli a rondelle e metteteli anche in ciotole sul tavolo.

Distribuire le strisce di roast beef sugli spaghetti di riso e versarvi sopra il brodo di manzo bollente.

INSALATA DI PASTA CON SALSA DI ERBE

Porzioni: 2

INGREDIENTI

- 150 G Pasta cavatappi
- 1 premio   Sale, per cucinare
- 1 pc   Cipollotto, con verde
- 40 G   Carne dei Grigioni, tagliata a fettine sottili.

Per la salsa

- 0,5 Pz spicchio d'aglio
- 3 cucchiai   Cerfoglio, tritato finemente
- 1 cucchiaio   Dill, finemente pesato

- 1 cucchiaio   Involtini di erba cipollina
- 120 G Crema di latte denso, 10% di grassi
- 4 cucchiai   Kefir, a basso contenuto di grassi
- 1 TL   Molkosan
- 2 premio   Pepe
- 2 premio   sale

PREPARAZIONE

Per prima cosa cuocere le tagliatelle in acqua bollente salata secondo le istruzioni sulla confezione fino a quando non saranno al dente.

Nel frattempo lavate e mondate i cipollotti, tagliate le verdure a rondelle sottili e tagliate a dadini il tubero.

Quindi tagliare la carne del Bündner a listarelle sottili e riempire una ciotola con le cipolle.

Versare la pasta al setaccio, sciacquare, scolare bene e aggiungerla agli ingredienti nella ciotola.

Ora sbucciate l'aglio, schiacciatelo con una forchetta e mescolatelo alle erbe in una seconda ciotola con la crema di latte densa. Ora aggiungi il kefir, il molkosan, il pepe e il sale fino a che liscio.

Infine condire di nuovo il sugo e incorporarlo al composto di pasta. Lasciate in ammollo l'insalata di pasta con sugo alle erbe per circa 15 minuti.

PASTA CON PEPERONCINO E CIPOLLE

Porzioni: 4

INGREDIENTI

- 2 Pz   Peperoncini
- 500 G Pasta
- 5 l   Acqua salata
- 2 Pz   Paprika, rossa
- 1 Msp peperoncino di Cayenna
- 250 G Pomodori in scatola
- 250 G cipolla
- 1 Bl   prezzemolo
- 1 premio   sale

- 1 premio   Pepe macinato
- 5 cucchiai   olio d'oliva

PREPARAZIONE

Per prima cosa cuocere la pasta in una casseruola con acqua salata per circa 10 minuti fino al dente.

Nel frattempo sbucciate le cipolle e tagliatele a rondelle sottili.

Quindi lavare, asciugare, tagliare a metà, togliere il torsolo e tagliare i peperoni.

Quindi soffriggere i peperoni insieme alle cipolle in una casseruola con olio a fuoco medio per 4-5 minuti.

Ora aggiungi i pomodori insieme a un po 'di sale, pepe e pepe di Caienna e copri e fai sobbollire per 20 minuti.

Nel frattempo scolate la pasta e scolatela bene in un colino.

Successivamente, lavare, asciugare, tagliare a metà, togliere il torsolo e tritare finemente i peperoncini.

Quindi lavare, asciugare e tritare finemente il prezzemolo.

Quindi mettere i peperoncini tritati insieme alle tagliatelle nella pentola e mescolare bene il tutto.

Infine distribuire le tagliatelle con peperoncino e cipolla nei piatti, guarnire con il prezzemolo e servire.

NIGIRI SUSHI

S

Porzioni: 4

INGREDIENTI

- 1 tazza   Riso per sushi
- 1.5 Coppa   acqua
- 300G Filetto di salmone
- 5 cucchiai   Aceto di riso
- 1 cucchiaio   zucchero
- 0,5 cucchiai di sale

PREPARAZIONE

Per prima cosa viene preparato il classico riso per sushi.
Per fare questo, lavare il riso al setaccio fino a quando
l'acqua non sarà più torbida.

Mettete quindi il riso per sushi insieme all'acqua in una casseruola e lasciate in ammollo per circa 10 minuti.

Quindi portate a ebollizione la pentola, abbassate la fiamma e lasciate cuocere il riso per circa 15-20 minuti con il coperchio chiuso, fino a quando tutta l'acqua non sarà stata assorbita dal riso. Quindi rimuovere il riso dalla piastra e lasciarlo riposare per altri 5 minuti.

Nel frattempo in una ciotolina mescolate l'aceto di riso con lo zucchero e il sale e scaldate al microonde.

Quindi mescolare bene l'aceto di riso con il riso.

Sciacquate ora il salmone con acqua fredda, asciugatelo e tagliatelo a pezzi di ca. 3 cm di lunghezza e 1 cm di larghezza.

Infine, dal riso si formano degli involtini sottili lunghi un dito (preferibilmente con le mani bagnate) e ciascuno con un pezzo di salmone.

SALSA DI POMODORO

S

Porzioni: 4

INGREDIENTI

- 1 kg   pomodori
- 1 in mezzo   basilico
- 1 pc   spicchio d'aglio
- 2 cucchiai   olio d'oliva
- 1 premio   sale
- 1 premio   Pepe macinato

PREPARAZIONE

Per prima cosa lavare, asciugare e tagliare a dadini grossolanamente i pomodori.

Quindi, mettere l'olio d'oliva ei pomodori in una casseruola alta e scaldare il tutto a fuoco medio per 4-5 minuti.

Nel frattempo lavate, asciugate e tritate finemente il basilico.

Ora sbucciate l'aglio e aggiungetelo nella pentola insieme al basilico.

Quindi cuocere i pomodori coperti per 20-30 minuti a fuoco vivace, mescolando di tanto in tanto.

Nella fase successiva, strofinare la miscela attraverso un setaccio.

Infine condire la salsa di pomodoro napoletana con sale e pepe a piacere e servire.

INSALATA DI VONGOLE

S

Porzioni: 6

INGREDIENTI

- 1 pc   Cipolla (media
- 1 kg   Cozze, freschissime
- 2 Pz   Spicchi d'aglio
- 2 cucchiai   olio d'oliva
- 250 ml Vino bianco secco
- 2 Pz   Pomodori, completamente maturi
- 1 premio   sale
- 1 premio   Pepe macinato

Per la crema di avocado

- 2 Pz   Avocado, maturo

- 2 cucchiai   Succo di limone
- 1 premio   sale
- 1 premio   Pepe macinato
- 1 pc   spicchio d'aglio
- 1 cucchiaio   olio d'oliva

PREPARAZIONE

Per prima cosa taglia i baffi (se ce ne sono) dalle cozze. Quindi riempire un lavandino con acqua fredda e sciacquare e pulire accuratamente le cozze, cambiando l'acqua 1-2 volte. Le cozze sono pulite quando non si deposita più sabbia sul fondo della piscina. Risolvi le cozze aperte!

Quindi sbucciare la cipolla e l'aglio e tritarli molto finemente. Sbollentare i pomodori in acqua bollente per 2 minuti, sciacquare con acqua fredda e staccare la pelle. Quindi tagliare a metà i pomodori, eliminare i semi con un cucchiaio e tagliare la polpa a pezzetti.

Per la crema di avocado, tagliare a metà gli avocado, rimuovere il nocciolo e rimuovere la polpa con un cucchiaio. Pelare e tritare grossolanamente l'aglio.

Quindi mettere metà della polpa con il succo di limone, l'aglio e l'olio d'oliva in una terrina e frullare con un bastoncino da taglio.

Tagliare finemente l'avocado rimasto, incorporarlo, mettere il nocciolo di avocado nella panna e condire la panna con sale e pepe.

A questo punto scaldate l'olio d'oliva in una grande casseruola, aggiungete le cipolle e l'aglio e fate appassire per circa 5 minuti a fuoco medio.

Quindi mettere le cozze nel pentolino, bagnare con il vino e cuocere coperte per circa 10 minuti.

Infine, levate le cozze fuori dalla pentola con una schiumarola, buttate le cozze non aperte, eliminate le cozze rimaste dal guscio, mettetele in una pirofila e irrorate con il brodo di cottura.

Versare i cubetti di pomodoro sulle cozze, condire il tutto con sale e pepe e servire l'insalata di cozze con la salsa di avocado e il pane bianco fresco.

COZZE ALLA CASALINGA

S

Porzioni: 4

INGREDIENTI

- 1 kg   Cozze, fresche
- 1 pc   cipolla
- 1 pc   Sedano rapa
- 100 GRAMMI Funghi
- 90 ml   vino bianco
- 1 Federazione prezzemolo
- 2 cucchiai   burro
- 1 premio   sale
- 1 premio   Pepe macinato

PREPARAZIONE

Per prima cosa pulire le cozze sotto l'acqua corrente fredda con uno spazzolino, sistemare le cozze aperte e togliere i baffi.

Ora sbucciate la cipolla e tagliatela a cubetti fini. Mondate i funghi e tagliateli anche a cubetti.

Successivamente, sbucciate il sedano, pelate i fili con un coltello e tagliate il sedano a pezzetti fini.

Sciogliere il burro in una casseruola e rosolare leggermente i pezzi di cipolla, i funghi e il sedano per 4-5 minuti a fuoco medio.

Quindi aggiungere le cozze, bagnare con il vino e cuocere a fuoco medio per circa 5 minuti fino a quando i gusci delle cozze si aprono - separare le cozze non aperte.

Nel frattempo lavate il prezzemolo, scuotetelo per asciugarlo, tritatelo finemente e salate e pepate nella casseruola.

ZUPPA DI CAROTA DI MORO

S

Porzioni: 2

INGREDIENTI

- 500 G Carote
- l acqua
- 1 TL   Sale (3 g)

PREPARAZIONE

Per la zuppa di carote Morosche, cuocere a fuoco moderato le carote pulite e pelate per almeno 2 ore.

Quindi frullare finemente le carote con una bacchetta magica.

Quindi rabboccare il liquido bollito di nuovo a 1 litro con acqua bollita.

Infine aggiungete il sale, mescolate, fatto.

INSALATA DI CAROTE

S

Porzioni: 2

INGREDIENTI

- 6 Pz   Carote, fantastiche
- 2 Pz   Arance, fantastiche
- 2 cucchiai   Olio di germe di grano

PREPARAZIONE

Lavate prima le carote, eliminate il picciolo e grattugiate finemente con una grattugia da cucina.

Quindi tagliate a metà le arance, strizzatele con uno spremiagrumi e mettete il succo insieme alle carote in una ciotola.

Versate sopra l'olio di germe di grano, mescolate bene il tutto e l'insalata di carote è pronta.

STUFATO DI CAROTA CON LO ZENZERO

Porzioni: 4

INGREDIENTI

- Brodo di pollo, forte
- 1 pc   Peperoncino rosso
- 45 G   Zenzero, fresco
- 3 Pz   Spicchi d'aglio
- 4 Pz   Cipolle, rosse
- 500 ml Succo di carota
- 6 cucchiai   Salsa di soia, salata
- 2 cucchiai   Succo di lime

per il deposito

- 300G Filetti di petto di pollo senza pelle
- 125 G Spaghetti di riso piatto (negozio asiatico)
- 450 G Carote, spesse

per la guarnizione

- 2 cucchiai   Foglie di basilico tritate finemente
- 2 cucchiai   olio di sesamo

PREPARAZIONE

Per prima cosa portare a ebollizione il brodo di pollo in una casseruola, mettere i filetti di petto di pollo, abbassare la temperatura e cuocere la carne coperta a fuoco basso per circa 10-12 minuti. Quindi toglilo dal brodo e lascialo raffreddare.

Nel frattempo immergere le tagliatelle di riso piatte in acqua tiepida per 5 minuti.

Quindi portare a ebollizione abbondante acqua in una casseruola e cuocere gli spaghetti di riso a fuoco medio per circa 1-2 minuti. Quindi scolate la pasta, sciacquatela subito con acqua fredda e scolatela.

Successivamente, sbucciate le carote e lo zenzero. Tagliare le carote nel senso della lunghezza prima a fettine sottili, poi a listarelle sottili. Tagliate lo zenzero a fettine sottili. Tagliate il peperoncino nel senso della lunghezza, privatelo dei semi e poi tagliatelo a listarelle sottili.

Sbucciare le cipolle e l'aglio, tagliarli a fettine sottili, unirli al brodo di pollo con lo zenzero e il peperoncino, aggiungere il succo di carota e la salsa di soia e far sobbollire dolcemente la zuppa per circa 15 minuti a fuoco medio.

Poi mettete le strisce di carota, cuocete per circa 2 minuti e condite con il succo di lime.

Infine tagliare il pollo a fettine sottili e unirlo alla zuppa con le tagliatelle.

Prima di servire cospargere lo spezzatino di carote con zenzero e basilico, irrorare con olio di sesamo e servire ben caldo.

ZUPPA DI CAROTA E

S

Porzioni: 4

INGREDIENTI

- 1 pc   cipolla
- 1 pc   spicchio d'aglio
- 300G Carote
- 4 cucchiai   olio d'oliva
- 1 TL   Polvere di curcuma
- 1 premio   sale
- 500 ml acqua

PREPARAZIONE

Per prima cosa sbucciate e tritate finemente la cipolla e l'aglio. Mondate le carote e tagliatele a fettine.

A questo punto scaldate l'olio in una casseruola e fate rosolare brevemente la cipolla e l'aglio a pezzetti. Quindi aggiungere le carote e la curcuma e versarvi sopra l'acqua.

Salare la zuppa, portare a ebollizione e cuocere a fuoco lento per circa 15 minuti.

Infine frullare finemente la zuppa.

ZUPPA DI CURRY DI CAROTA

Porzioni: 4

INGREDIENTI

- 400 G Carote
- 1 pc   cipolla
- 850 ml Brodo vegetale
- 1 TL   Curry in polvere (piccante)

PREPARAZIONE

Pelare e tagliare a dadini la cipolla e la carota in anticipo.

Quindi portare a ebollizione le verdure con il brodo in una casseruola e cuocere a fuoco lento coperto a fuoco medio per circa 15 minuti.

Quando le verdure sono cotte, frullare la zuppa con lo sbattitore a mano, incorporare il curry in polvere e riportare brevemente a ebollizione.

CREMA DI CAROTA CON

S

Porzioni: 4

INGREDIENTI

- 1 TL   curry
- 2 cucchiai   Succo di limone
- 200 G Carote
- 250 G Quark
- 4 cm   Zenzero, fresco
- 150 G Yogurt naturale
- 1 premio   sale

PREPARAZIONE

Pelate le carote e lo zenzero, grattugiateli finemente in una ciotola e irrorate con il succo di limone.

Ora mescola il quark con lo yogurt in una ciotola fino a che liscio. Incorporare lo zenzero con le carote e condire la carota spalmata di zenzero con sale e curry.

MINESTRONE

S

Porzioni: 4

INGREDIENTI

- 150 G fagioli bianchi
- 1 pc   foglia d'alloro
- 1 Federazione prezzemolo
- 0.5 Federazione   timo
- 1 in mezzo   rosmarino
- 200 G Baccelli di piselli
- 2 Pz   zucchine
- 2 Pz   Carote
- 200 Knsedano
- 1 pc   paprica
- 1 TL   sale

- 0,5 TL Pepe
- 2 Stg Porro
- 2 Pz   Spicchi d'aglio
- 40 G   Ditalini, ovvero tagliatelle tubolari corte
- 1 cucchiaio   olio d'oliva
- 1 TL   Parmigiano grattugiato

PREPARAZIONE

Mettere a bagno i fagioli bianchi in acqua fredda la sera prima e lasciarli riposare per tutta la notte.

Per il minestrone portare a ebollizione una pentola capiente con circa 1,5 litri di acqua. Sciacquare i fagioli bianchi ammollati, aggiungerli alla casseruola e cuocere delicatamente a fuoco basso per 30-35 minuti.

Nel frattempo lavare la foglia di alloro, il rosmarino, il prezzemolo e il timo, shakerare, legare con dello spago da cucina e unire ai fagioli.

Quindi pelare le zucchine, le carote e il sedano e tagliarli a cubetti. Mondare il porro e tagliarlo a rondelle sottili. Tritate l'aglio sbucciato. Tagliate a metà i peperoni, privateli dei semi, lavateli e tagliateli anche a cubetti. Tagliare i baccelli di piselli lavati a pezzetti.

Aggiungere le verdure preparate ai fagioli nella casseruola, aggiustare di sale e pepe e cuocere per 20 minuti a temperatura media.

Quindi rimuovere le erbe legate dal minestrone, aggiungere le tagliatelle e cuocere per altri 8 minuti - fino a quando le tagliatelle sono sode fino al morso.

Infine, condire il minestrone con sale e pepe, irrorare con olio d'oliva e spolverare con parmigiano grattugiato.

MINESTRONE CON FAGIOLI

Porzioni: 4

INGREDIENTI

- 150 G Fagioli secchi, misti (vedi ricetta)
- 100 GRAMMI Pancetta, pancetta di maiale italiana
- 4 cucchiai   olio d'oliva
- 1 Stg Porro
- 250 G Savoia
- 1 pc   Paprika, gialla
- 2 Pz   Zucchine, piccole
- 1 Can   Pomodori tritati, á 800 g
- 750 ml Brodo vegetale, caldo
- 1 premio   sale

- 1 premio   Pepe, nero, macinato fresco
- 75 G   Parmigiano, grosso, grattugiato fresco

PREPARAZIONE

Nota: i fagioli (miscela di fagioli rossi, fagioli neri e bianchi) vengono messi a bagno per almeno 12 ore.

Il giorno prima mettete i fagioli in una ciotola, copriteli con acqua fredda e lasciateli a bagno per almeno 12 ore, meglio ancora durante la notte.

Il giorno successivo, scolare l'acqua di ammollo e cuocere i fagioli in acqua dolce senza sale a fuoco basso per circa 1 ora e 1/4. Quindi versare in un colino e scolare.

Durante questo tempo pulire e lavare i porri e la verza. Tagliare il porro a rondelle e la verza a listarelle. Mondate, lavate e tagliate a cubetti i peperoni. Mondate, lavate e affettate le zucchine.

Quindi tagliare a cubetti la pancetta. Scaldate l'olio d'oliva in una grande casseruola e fate soffriggere i cubetti di pancetta per circa 3-4 minuti fino a renderli croccanti, quindi scolateli su carta da cucina.

Ora friggi le verdure preparate nel grasso di pancetta per 3-4 minuti. Aggiungere i pomodori in scatola, versare il brodo e coprire con tutti gli ingredienti e cuocere a fuoco medio per circa 15 minuti.

Infine aggiungere i fagioli cotti alle verdure, mantecare e farle scaldare per 5 minuti. Il minestrone con i fagioli con sale e pepe e versatelo nei piatti fondi. Cospargere con il parmigiano grattugiato grossolanamente e servire subito.

BUDINO DI RISO CON LATTE DI RISO

Porzioni: 2

INGREDIENTI

- 250 G budino di riso
- 1.2 Latte di riso
- 1 premio   cannella
- 1 premio   cardamomo
- 3 cucchiai   Zucchero, bianco
- 1 pc   Baccello di vaniglia
- 2 cucchiai   Zucchero alla cannella

PREPARAZIONE

Mettere prima il latte di riso in una casseruola e aggiungere il budino di riso. Aggiungere anche la cannella, il cardamomo e lo zucchero al latte.

Quindi, tagliare il baccello di vaniglia e raschiare la polpa. Aggiungere la polpa e il baccello al latte di riso, scaldare il tutto e portare a ebollizione per 1 minuto.

Dopo l'ebollizione, abbassare la temperatura e cuocere a fuoco lento il budino di riso con il latte di riso per circa 25-30 minuti.

Infine, pescare il baccello di vaniglia e riempire il budino di riso nelle ciotole. Cospargere con lo zucchero alla cannella e gustare.

BUDINO DI RISO DAL VAPORE

Porzioni: 4

INGREDIENTI

- latte
- 400 G Budino di riso, riso a grani corti
- 1 TL   Zucchero vanigliato
- 4 cucchiai   zucchero

per la guarnizione

- 1 premio   Polvere di cannella
- 1 premio   zucchero

PREPARAZIONE

Al budino di riso nella vaporiera farcire il riso, lo zucchero e lo zucchero vanigliato in una scommessa senza fori per il forno a vapore e questi si amalgamano bene.

Ora aggiungi il latte e mescola di nuovo bene.

Quindi riempire la vaporiera e impostare una temperatura di 100 gradi.

Lascia cuocere il budino di riso per circa 35-40 minuti durante l'uso.

Servire con cannella e zucchero.

INSALATA DI MELONE CON

Porzioni: 4

INGREDIENTI

- 1 pc   Anguria, di medie dimensioni (senza semi o senza semi)
- 100 GRAMMI Formaggio feta, cremoso
- 0.5 Federazione   menta
- 0.5 Federazione   basilico
- 1 pc   lime
- 2 cucchiai   sciroppo d'acero
- 1 premio   sale
- 1 premio   Pepe, nero, macinato fresco

- 2 cucchiai   olio d'oliva

PREPARAZIONE

Per prima cosa tagliare l'anguria a metà e tagliarla a fette spesse. Eliminate i noccioli eventualmente ancora presenti, togliete la polpa dalla pelle con un coltello e tagliatela a cubetti della grandezza di un boccone.

Quindi lavare la menta e il basilico, shakerare per asciugare, spennare le foglie e tritarle finemente.

Quindi, tagliare a metà il lime e strizzarlo. Mescolare il succo con lo sciroppo d'acero, l'olio, il sale e il pepe.

Mettere i pezzi di melone in una ciotola, mescolare il condimento e le erbe aromatiche. Sbriciolare grossolanamente la feta e aggiungerla all'insalata.

L'insalata di melone con feta mescola di nuovo e metti per 15 minuti in frigorifero. Servire subito dopo.

INSALATA DI CAVALLO

Porzioni: 4

INGREDIENTI

- 250 G Rafano
- 1 pc Mela
- 1 colpo Succo di limone

per il condimento

- 5 cucchiai Panna acida
- 1 premio sale
- 1 premio zucchero

PREPARAZIONE

Per questa semplice insalata di rafano, sbucciate prima il rafano e grattugiatelo finemente in una ciotola.

Sbucciate e grattugiate anche le mele e irrorate con un po 'di succo di limone.

Quindi mescolare la mela e la panna con il rafano, infine condire con sale e zucchero.

MANGO COCCO MUESLI

Porzioni: 4

INGREDIENTI

- 70 G   Noce di cocco essiccata
- 100 GRAMMI Le prugne
- 130 G fiocchi d'avena
- 1 pc   Mango
- 200 G Latte cagliato
- 130 ml latte
- 4 cucchiai   succo d'arancia
- 4 cucchiai   Miele, liquido

PREPARAZIONE

Per prima cosa arrostisci il cocco essiccato in una padella fino a doratura, mescolando continuamente.

Tagliate le prugne a cubetti e mescolatele con i fiocchi d'avena e il cocco essiccato.

Pelare il mango, tagliare la polpa a spicchi dal nocciolo e tagliare a dadini.

Mettere la cagliata in una ciotola o in uno shaker e mescolare con il latte, il succo d'arancia e il miele.

Porzione metà della miscela di farina d'avena in ciotole, distribuire i pezzi di mango sopra, versare sopra la cagliata e servire spolverata con la miscela di farina d'avena rimanente.

MAKI SUSHI

Porzioni: 4

INGREDIENTI

- 1 tazza   riso
- 2 tazza   acqua
- 4 Pz   Lenzuola Nori
- 2 Pz   Carote
- 1 pc   avocado

PREPARAZIONE

Lavare il riso finché non scorre solo acqua pulita. Quindi
far bollire il doppio della quantità di acqua. Lascia
raffreddare il riso mescolando.

Metti un foglio di nori sulla stuoia di bambù e spalma un sottile strato di riso sopra. Lascia una striscia stretta libera.

Pelare la carota e l'avocado e tagliarli a listarelle sottili. Metti una striscia al centro del riso e arrotolala bene.

Taglia il rotolo in circa 5 pezzi uguali. Ripetere il processo con gli ingredienti rimanenti e conservare in frigorifero fino al momento di servire.

SALSA DI MAIS

Porzioni: 4

INGREDIENTI

- 300G   Mais, in scatola
- 250 ml Brodo vegetale
- 150 ml Panna montata
- 1 pc   cipolla
- 1 pc   spicchio d'aglio
- 50 G   burro
- 2 cucchiai   Succo di limone
- 1 Federazione prezzemolo
- 1 premio   sale
- 1 premio   Pepe macinato
- 1 colpo Olio, per la pentola

PREPARAZIONE

Sbucciate prima la cipolla e l'aglio, tritateli finemente e fateli soffriggere in una casseruola con olio per 3-4 minuti a fuoco medio.

Quindi aggiungere 2/3 dei chicchi di mais insieme al brodo vegetale e cuocere a fuoco lento per 10 minuti.

Quindi aggiungere nella casseruola la panna, il sale, il pepe e il succo di limone, mescolare bene e cuocere a fuoco lento per altri 15 minuti.

Nel frattempo lavate, asciugate e tritate finemente il prezzemolo.

Quindi lasciate raffreddare la salsa per 5 minuti e frullate finemente con un frullatore a immersione.

Infine mescolare i chicchi di mais rimanenti nella salsa di mais e guarnire con il prezzemolo.

CREMA DI MINESTRA DI MAIS CON LE PATATE

Porzioni: 4

INGREDIENTI

- 2 Can   Mais, á 425 g
- 2 Pz   Cipolle vegetali
- 300G   Patate, cottura farinosa
- 4 cucchiai   Olio di colza
- 1.2 latte
- 1 pc   foglia d'alloro
- 1 TL   sale
- 0,5 TL Fiocchi di peperoncino
- 1 premio   Pepe, nero, macinato fresco

- 3 cucchiai   Succo di lime

PREPARAZIONE

Per prima cosa sbucciate e tagliate a dadini la cipolla. Pelare, lavare e tritare grossolanamente le patate. Quindi scolare e scolare il mais e mettere da parte 2 cucchiai di chicchi di mais.

Quindi scaldare metà dell'olio in una casseruola, soffriggere metà della cipolla a cubetti e le patate a cubetti per circa 5 minuti mescolando.

Aggiungete ora il mais rimanente, mettete la foglia di alloro e versate il latte. Lasciate sobbollire tutto a fuoco medio e scoperto per circa 10 minuti.

Scaldare l'olio rimanente in una padella e soffriggere i cubetti di cipolla rimanenti per circa 5 minuti fino a doratura. Cospargere con un po 'di peperoncino in polvere e mettere da parte.

Quindi togliere la pentola dal fuoco, togliere la foglia di alloro e frullare la zuppa con un bastoncino da taglio. Condire il salato con sale, pepe e succo di lime.

Disporre la zuppa calda di crema di mais con patate nei piatti fondi scaldati, cospargere con il mais rimanente e le cipolline e servire subito.

CROSTATA DI CIPOLLA A

Porzioni: 2

INGREDIENTI

- 4 Pz   Fogli di pasta fillo, da ripiano refrigerante
- 400 G Cipolle
- 60 G   Pancetta, mista, affettata sottilmente
- 200 G fiocchi di latte
- 60 G   Panna acida o crème fraîche
- 1 pc   Uovo, taglia L
- 2 cucchiai   Prezzemolo tritato
- 0,5 TL sale

- 1 premio   Pepe, nero, macinato
- 1 cucchiaio   Olio vegetale, per la padella

PREPARAZIONE

Per prima cosa preriscaldare il forno a 165 ° C di calore superiore / inferiore.

Quindi foderare una tortiera con la pasta filo e mettere da parte.

Successivamente, sbucciare le cipolle e tagliarle a cubetti molto fini. Tagliare prima le fette di pancetta a listarelle e poi a cubetti molto fini.

Ora mettete l'olio in una padella larga e scaldatelo. Aggiungere la pancetta a dadini e la cipolla, soffriggere per circa 5-6 minuti a fuoco medio, quindi togliere dal fuoco e lasciare raffreddare.

Nel frattempo, mescola la ricotta, la panna acida e l'uovo in una ciotola. Condire con sale e pepe e incorporare il prezzemolo tritato.

Infine unire la pancetta e le cipolle alla miscela di panna acida, mescolare bene il tutto e versare nel piatto preparato.

Cuocere la torta di cipolle a basso contenuto di carboidrati sulla griglia centrale nel forno preriscaldato per circa 40-45 minuti fino a quando non diventa giallo dorato. Quindi sfornate, fate raffreddare leggermente e servite

ZUPPA DI LENTICCHIE CON

Porzioni: 2

INGREDIENTI

- 2 Pz   Pomodori da cocktail
- 0,5 Pz cipolla
- 1 pc   spicchio d'aglio
- 1 cucchiaio   burro
- 1.5 TL Zenzero grattugiato
- 450 ml Brodo vegetale
- 120 G Lenticchie, rosse
- 1.5 TL Pasta di curry, rossa
- 200 G tofu

- 1,5 cucchiai di latte di cocco
- 1 premio   Pepe
- 1 premio   sale
- 1 premio   Curry in polvere
- 1 premio   timo
- 1 premio   semi di cumino

PREPARAZIONE

Pelare e tritare la cipolla e l'aglio. Riscaldare il burro in una casseruola e rosolarvi i pezzi di cipolla e aglio.

Lavate i pomodori, tagliateli a quarti, privateli dei semi e tagliate la polpa a pezzi. Quindi incorporare lo zenzero e i pomodori nella miscela di cipolla e aglio e cuocere brevemente.

Quindi versare sopra il brodo vegetale e aggiungere le lenticchie rosse. Condire la zuppa con pepe, sale, curry, pasta di curry rosso, un pizzico di semi di cumino e timo. Ora fate bollire dolcemente la zuppa di lenticchie per circa 15 minuti.

Taglia il tofu a pezzi di uguale grandezza a piacere.

Infine, aggiungi il latte di cocco alla zuppa e aggiungi il tofu.

MINESTRA DI LENTICCHIE CON FORMAGGIO DI HERDER

Porzioni: 4

INGREDIENTI

- 100 GRAMMI lenti a contatto
- 650 ml Brodo vegetale
- 2 TL   Curry in polvere
- 2 Stg Sedano
- 1 premio   sale
- 1 premio   Pepe macinato
- 150 G Formaggio di pastore o ricotta
- 1 cucchiaio   olio

PREPARAZIONE

In una casseruola mettete prima le lenticchie, il brodo vegetale e il curry in polvere, portate a ebollizione breve e fate sobbollire per circa 10 minuti a fuoco medio.

Nel frattempo lavate e asciugate il sedano, privatelo delle verdure e mettete da parte. Tagliare il sedano a fettine sottili oa cubetti da boccone, aggiungerlo alla casseruola, unirlo alle lenticchie e cuocere per 5-10 minuti.

Quindi togliere la casseruola dalla piastra, tritare il formaggio di pastore, unirlo alla zuppa, aggiustare di sale e pepe e mescolare bene.

Infine, guarnire la zuppa di lenticchie con i verdi di sedano e servire.

CONDIMENTO ALLO YOGURT

Porzioni: 1

INGREDIENTI

- 150 G Yogurt
- 1 premio   sale
- 1 premio   Pepe
- 2 cucchiai   Erbe, miste
- 1 cucchiaio   Succo di lime

PREPARAZIONE

Lavate bene le erbe aromatiche, asciugatele e tritatele finemente. Quindi mescolare le erbe, il succo di lime, lo

yogurt, il sale e il pepe in un barattolo a vite.
Conservare ben chiuso in frigorifero.

ZUPPA DI ZUCCA VEGANA LEGGERA

Porzioni: 4

INGREDIENTI

- 1 pc   Zucca di Hokkaido
- 500 ml acqua
- 1 Can   Latte di cocco, ridotto contenuto di grassi
- 1 pc   spicchio d'aglio
- 1 pc   Zenzero, delle dimensioni di un pollice
- 1 cucchiaio   Succo di limone, dalla bottiglia
- 0.5 Federazione   prezzemolo
- 0,5 TL Curcuma
- 1 TL   Cannella di Ceylon

- 1 premio   sale e pepe
- 1 Spr   olio d'oliva

PREPARAZIONE

Per prima cosa tagliate la zucca a metà, privatela dei semi e tagliatela a cubetti di circa 2 centimetri.

Quindi sbucciare e tritare finemente l'aglio e lo zenzero. Mettetele entrambe in una casseruola capiente e fatele rosolare brevemente a fuoco medio con un filo d'olio - non troppo caldo - in modo che i sapori si sviluppino adeguatamente. Quindi aggiungere i pezzi di zucca e soffriggere per un po '.

Aggiungete ora la cannella e la curcuma, mescolate bene il contenuto della pentola e poi aggiungete l'acqua.

Ora lascia cuocere la zuppa a un livello più alto per circa 25-30 minuti. Una volta che la zucca è tenera, il frullatore a immersione o lo schiacciapatate possono fare il loro lavoro finché la zuppa non diventa cremosa. A seconda della consistenza, è possibile aggiungere acqua.

Infine tritate finemente il prezzemolo, aggiungetelo e fatelo sobbollire brevemente. Ora aggiungi il latte di cocco e il succo di limone. Quindi mescolare e condire con sale e pepe. La zuppa leggera vegana di zucca è pronta.

CASSERUOLA DI PORRI CON CARNE MACINATA

Porzioni: 4

INGREDIENTI

- 800 G Patate, cerose
- 300G Porro
- 3 cucchiai   olio d'oliva
- 1 pc   cipolla
- 1 pc   spicchio d'aglio
- 250 G carne di manzo macinata
- 1 cucchiaio   Foglie di timo, fresche
- 200 ml Zuppa di carne
- 1 premio   sale

- 1 premio   Pepe, nero, macinato fresco
- 1 cucchiaio   burro
- 1 premio   Sale, per la carne macinata
- 1 premio   Pepe nero per la carne macinata

PREPARAZIONE

Per prima cosa prepara le verdure. Per fare questo mondate il porro, lavatelo bene e poi tagliatelo in diagonale a fettine sottili.

Pelare e lavare le patate, anch'esse tagliate a fettine sottili e metterle in una ciotola con acqua fredda. Pelare e tritare finemente la cipolla e l'aglio.

Quindi scaldare l'olio in una padella e soffriggere la carne macinata per circa 6 minuti mescolando. Aggiungere la cipolla e l'aglio a cubetti e soffriggere per altri 5 minuti.

Ora mettete le fettine di porro nella padella, mescolate con il trito e fate cuocere per altri 5 minuti. Condire il trito con sale e pepe e incorporare il timo.

Preriscaldare il forno a 180 ° C (forno ventilato 160 ° C) e ungere una pirofila con il burro.

Togliere le fettine di patate dall'acqua, asciugarle tamponandole e poi adagiarle alternativamente con il composto di porri nella forma. Condire ogni strato con sale e pepe e finire con uno strato di fette di patate.

Successivamente, versare il brodo sulla casseruola di porri con carne macinata, spalmare sopra le scaglie di burro e coprire con un foglio di carta da forno.

Far scorrere lo stampo sulla guida centrale nel forno preriscaldato e cuocere per 30 minuti. Quindi rimuovere la carta da forno e infornare per altri 30 minuti. Sfornare la casseruola finita e servire nella forma.

MEDAGLIONI DI AGNELLO

Porzioni: 4

INGREDIENTI

- 2 Pz   Spicchi d'aglio
- 800 G Sella di filetto di agnello
- 0,5 TL Aghi di rosmarino
- 1 premio   sale
- 1 premio   Paprika in polvere, dolce nobile
- 2 cucchiai   olio d'oliva
- 1 premio   Pepe dalla smerigliatrice

per il pane bianco all'aglio

- 8 Schb   Pane bianco (a piacere)
- 2 Pz   Spicchi d'aglio

- 2 cucchiai   Olio d'oliva, per la padella

PREPARAZIONE

Per prima cosa sbucciare gli spicchi d'aglio e pressarli con uno spremiaglio. Quindi tagliare la carne, liberata da pelle e tendini, a ca. 8 fette di 2 cm di spessore ciascuna. Quindi appiattite leggermente la carne e strofinatela con sale, pepe, paprika in polvere e l'aglio.

Per il pane bianco all'aglio, sbucciare gli spicchi d'aglio rimasti e pressarli con uno spremiaglio. Quindi scaldare l'olio d'oliva in una padella, soffriggere l'aglio e poi friggere le fette di pane nell'olio all'aglio fino a doratura su entrambi i lati - tenerle calde su un piatto o in forno.

Scaldate ora il restante olio d'oliva nella padella, fate soffriggere energicamente i medaglioni di agnello (circa 3-4 minuti per lato, girandoli una sola volta) e spolverizzate con il rosmarino.

FILETTO DI SALMONE SU

S

Porzioni: 4

INGREDIENTI

- 2 cucchiai   Olio vegetale
- 1 pc   Limone biologico
- 450 G pomodori ciliegini
- 800 G Filetto di salmone, senza pelle
- 1 premio   sale
- 1 premio   Pepe
- per il risotto
- 2 Pz   Cipolle, piccole
- 150 G Riso per risotti

- 500 ml Brodo vegetale
- 100 ml Vino bianco secco
- 1 pc   Zucchine, di medie dimensioni
- 120 G Olive, nere, senza torsolo
- 3 cucchiai   Olio vegetale
- 1 premio   Pepe
- 1 premio   sale

PREPARAZIONE

Per il risotto, prima sbucciate e tagliate a cubetti le cipolle. Scaldare due cucchiai d'olio in una casseruola, rosolare la cipolla a cubetti, quindi aggiungere il riso e far rosolare con esso.

Versare poco a poco il brodo e il vino, mescolando spesso. Non appena il riso sarà asciutto, aggiungere sempre un po 'di liquido e cuocere per un totale di 30-35 minuti.

Nel frattempo lavate e mondate le zucchine, pelatele se necessario, tagliatele a dadini e fatele rosolare in padella con un cucchiaio di olio ben caldo. Quindi mettere da parte.

Ora lavate energicamente il limone, asciugatelo con carta da cucina e tagliate quattro fettine sottili. Basta lavare e asciugare i pomodorini.

Per il filetto di salmone su risotto, tagliare il salmone in 4 strisce, quindi condire con sale e pepe.

A questo punto scaldate l'olio in una padella, coprite ciascuna delle striscioline di salmone con uno spicchio di limone e fatele soffriggere nell'olio bollente per circa 5 minuti, girando una volta, aggiungete i pomodori e fate soffriggere.

Infine unire il composto di zucchine al risotto finito, condire con sale e pepe. Servire insieme alle strisce di salmone e ai pomodori.

SALMONE CON I FAGIOLI

Porzioni: 4

INGREDIENTI

- 600 G fagioli francesi
- 4 Pz   Filetto di salmone, 200 grammi l'uno
- 2 premio   sale
- 1 premio   Pepe, appena macinato

PREPARAZIONE

All'inizio innaffia il Römertopf, cioè immergilo in acqua
per almeno 10 minuti, questo riempirà i pori dell'argilla e
durante la cottura si produrrà vapore.

Mondate i fagiolini, lavateli in acqua fredda e scolateli bene. Quindi mettere nel Römertopf e aggiungere un po 'di sale.

Ora mettete la pentola nel forno freddo e pre-cuocete per 30 minuti a 180 gradi.

Nel frattempo sciacquate il salmone con acqua fredda, asciugatelo tamponando con carta da cucina e condite con sale e pepe.

Dopo 30 minuti, adagiare il salmone sui fagiolini, chiudere di nuovo il coperchio e cuocere a vapore per 10 minuti.

Quindi rimuovere il coperchio e cuocere il salmone con i fagiolini per altri 10 minuti.

SALMONE DAL VAPORE

Porzioni: 4

INGREDIENTI

- 4 Pz   Filetti di salmone, salmone selvatico
- 1 colpo Succo di limone
- 1 kg   broccoli
- 8 Pz   Patate, cerose, di media grandezza
- 50 G   Scaglie di mandorle
- 1 TL   Prezzemolo tritato
- 1 cucchiaio   Burro o olio
- 1 premio   sale

Per la salsa

- 200 ml Panna montata

- 2 TL   burro
- 2 TL   Farina
- 150 ml Brodo vegetale
- 1 premio   sale
- 1 premio   Pepe
- 1 TL   Erba cipollina, tagliata a rondelle sottili

PREPARAZIONE

Per il salmone dalla vaporiera, riempire prima la vaporiera con acqua o brodo secondo le istruzioni per l'uso e ungere l'inserto con un po 'di burro o olio.

Pelare e lavare le patate e tagliarle a quarti nel senso della lunghezza.

Lavate e mondate i broccoli e tagliateli a cimette.

Salare i filetti di salmone e condire con il succo di limone.

Ora imposta la vaporiera a 90 gradi e metti prima le patate nella vaporiera. Dopo 20 minuti aggiungere i broccoli e il salmone e cuocere per 10 minuti.

Prepara un roux per la salsa. Per fare questo sciogliere il burro, spolverare la farina e far sudare mescolando continuamente.

Quindi incorporare il brodo vegetale in piccole porzioni, mescolando continuamente, e portare a ebollizione. Alla fine aggiungete la panna e condite con sale, pepe ed erba cipollina.

Nel frattempo tostare le mandorle senza grasso in una padella rivestita girandole più e più volte.

Infine disponete tutti gli ingredienti nei piatti, servite i broccoli con le mandorle a scaglie e le patate spolverate di prezzemolo tritato.

ZUPPA DI ZUCCA CON MARJORAM

Porzioni: 4

INGREDIENTI

- 1 kg   Zucca (ad es. Butternut, noce moscata zucca)
- 100 ml Panna acida
- 40 G   Burro per la pentola
- 1 cucchiaio   Succo di limone
- 600 ml Brodo vegetale
- 1 Federazione Maggiorana
- 1 TL   sale
- 1 premio   Pepe

- 1 Msp zafferano
- 1 colpo Olio di semi di zucca

PREPARAZIONE

Per questa finissima crema di zucca, tagliare la zucca in quarti, pelarla, privarla dei semi e tagliare la polpa a cubetti.

Quindi sciogliere il burro nella casseruola e stufare i cubetti di zucca - cuocere per circa 5 minuti a fuoco lento.

Ora versare il succo di limone e il brodo vegetale nella pentola e cuocere a fuoco lento per circa 15-20 minuti fino a quando i pezzi di zucca non saranno morbidi.

Nel frattempo lavare la maggiorana, scuoterla per asciugare, spennellare le foglie e tritarle finemente. Mondate bene i semi di zucca, asciugateli con un canovaccio e fateli soffriggere leggermente in padella (senza olio).

Quindi frullare la zuppa con un frullatore a immersione, aggiustare di sale e pepe, incorporare un po 'di zafferano e incorporare nuovamente le strisce di prosciutto. Inoltre, puoi raffinare la zuppa con un po 'di panna acida.

Mettere la zuppa di zucca finita nei piatti, spolverare con i semi di zucca, spargere sopra le foglie di maggiorana e guarnire con qualche filo di olio di semi di zucca.

HUMMUS DI ZUCCA

S

Porzioni: 4

INGREDIENTI

- 500 G Zucca di Hokkaido
- 1 pc   spicchio d'aglio
- 1 premio   sale
- 1 premio   Pepe
- 1 premio   cumino
- 3 cucchiai   Tahini
- 100 GRAMMI Pomodori essiccati al sole

PREPARAZIONE

Lavate e dividete la zucca, privatela dei semi e tagliatela a pezzetti. Mettete la zucca tagliata a pezzi su una teglia rivestita di carta da forno.

Preriscaldare il forno a 220 gradi e cuocere la zucca sulla griglia centrale per 20 minuti fino a quando non sarà morbida.

Pelate l'aglio e tritatelo grossolanamente insieme ai pomodori secchi.

Ora metti la zucca al forno, l'aglio, il sale, il pepe, il cumino, la tahina ei pomodori a pezzi nel robot da cucina e trasformali in una pasta. In alternativa, per la purea si può usare un frullatore a immersione.

Il Kürbishummus va ancora ben tirato in una scatola di plastica in frigorifero un'ora si consuma fino a quando non lo è.

CREMA DI ZUPPA DI ZUCCA CON LATTE DI COCCO

Porzioni: 6

INGREDIENTI

- 1 pc   Zucca di Hokkaido (500 g)
- 100 ml Succo d'arancia, appena spremuto
- 400 ml di brodo vegetale
- 300 ml Latte di cocco
- 1 TL   Fiocchi di peperoncino
- 1 TL   Succo di lime
- 1 TL   Curry in polvere
- 1 premio   sale
- 1 TL   Pepe, nero, macinato fresco

per la guarnizione

- 1 TL   Fiocchi di peperoncino
- 0.5 Federazione   coriandolo

PREPARAZIONE

Lavate la zucca, tagliatela a metà e privatela dei semi e delle fibre. Quindi tagliare la polpa di zucca a cubetti e metterla in una casseruola.

Aggiungere il succo d'arancia, i fiocchi di peperoncino, il curry in polvere, sale e pepe, riempire con il brodo vegetale e portare a ebollizione.

Portare il tutto a ebollizione per 1 minuto, poi coprire e cuocere a fuoco basso per circa 20-25 minuti.

Nel frattempo lavate il coriandolo, scuotetelo per asciugarlo e tritate finemente le foglie.

Ora frullate finemente il contenuto della pentola con un bastoncino da taglio aggiungendo il latte di cocco e il succo di lime.

La zuppa di zucca con il latte di cocco far bollire ancora per 1 minuto, poi versare in un piatto caldo.

Guarnire con qualche fiocco di peperoncino e foglie di coriandolo e servire subito.

CONCLUSIONE

Se vuoi perdere qualche chilo, la dieta a basso contenuto di carboidrati e a basso contenuto di grassi alla fine raggiungerà i tuoi limiti. Sebbene il peso possa essere ridotto con le diete, il successo di solito è solo di breve durata perché le diete sono troppo unilaterali. Quindi, se vuoi perdere peso ed evitare il classico effetto yo-yo, dovresti piuttosto controllare il tuo bilancio energetico e ricalcolare il tuo fabbisogno calorico giornaliero.

L'ideale è aderire a una variante delicata della dieta a basso contenuto di grassi con 60-80 grammi di grassi al giorno per tutta la vita. Aiuta a mantenere il peso e protegge dal diabete e dai lipidi nel sangue alti con tutti i loro rischi per la salute.

La dieta a basso contenuto di grassi è relativamente facile da implementare perché devi solo rinunciare ai cibi grassi o limitare fortemente la loro proporzione nella quantità giornaliera di cibo. Con la dieta a basso contenuto di carboidrati, invece, sono necessarie una pianificazione molto più precisa e una maggiore resistenza. Tutto ciò che ti riempie davvero è solitamente ricco di carboidrati e dovrebbe essere evitato. In determinate circostanze, questo può portare a voglie di cibo e quindi al fallimento della dieta. È essenziale che tu mangi correttamente. Molte compagnie di assicurazione sanitaria statali offrono quindi corsi di prevenzione o pagano per una consulenza

nutrizionale individuale. Questo consiglio è estremamente importante, soprattutto se decidi di seguire una dieta dimagrante in cui desideri modificare in modo permanente l'intera dieta. Se la tua assicurazione sanitaria privata paga tali misure dipende dalla tariffa che hai stipulato.

Lightning Source UK Ltd.
Milton Keynes UK
UKHW020645080621
385138UK00011B/654